PENSAR Y HACER LA ARQUITECTURA:

UNA INTRODUCCIÓN

Joan Calduch Cervera

Pensar y hacer la arquitectura: Una introducción

© Joan Calduch Cervera

ISBN: 978-84-15787-96-9
Depósito legal: A 404-2013

Edita: Editorial Club Universitario. Telf.: 96 567 61 33
C/ Decano, n.º 4 – 03690 San Vicente (Alicante)
www.ecu.fm
ecu@ecu.fm

Printed in Spain
Imprime: Imprenta Gamma. Telf.: 96 567 19 87
C/ Cottolengo, n.º 25 – 03690 San Vicente (Alicante)
www.gamma.fm
gamma@gamma.fm

ÍNDICE

ACLARACIÓN

El presente texto está orientado, de manera preferente, al curso **Composición 1**, impartido en la titulación de Arquitectura de la Universitat d'Alacant de acuerdo con el nuevo Plan de Estudios, adaptado a los requerimientos establecidos a partir de las directrices europeas (*Plan Bolonia*). Dicho curso está organizado en tres grandes bloques docentes. El primero intenta aportar a los alumnos recién ingresados una aproximación a la noción de arquitectura. El segundo bloque presenta un avance sobre la componente urbana como ámbito específico del cometido del arquitecto. El tercer bloque, que es el que se recoge en este escrito, quiere suministrar una primera visión sobre el modo de afrontar y resolver la arquitectura en nuestro contexto productivo, cultural y social. Es, por lo tanto, *una introducción a la arquitectura* tal como nosotros, aquí y ahora, la entendemos.

Los destinatarios son, de manera prioritaria, los alumnos que han orientado su vocación a la profesión de arquitecto, y que se enfrentan, por primera vez y de un modo sistemático, a esta disciplina de la que sólo tienen una noción genérica y, con frecuencia, distorsionada. Se trata, por lo tanto, de darles algunas ideas que les permitan ir entendiéndola de un modo más ajustado a la realidad a la que quieren dedicarse profesionalmente.

Pero precisamente porque el bagaje del lector respecto a la arquitectura es todavía muy elemental, el texto puede servir también para aclarar las nociones de aquellos lectores en general que, sin voluntad de orientar su vocación hacia este oficio tienen, sin embargo, un cierto interés por conocer el universo de la arquitectura y la ciudad en el que, de manera permanente, estamos todos inmersos.

En consecuencia, lo que se presenta es, esencialmente, un texto docente, pero su contenido y modo de exposición es, también, accesible a cualquier interesado por conocer las bases y los aspectos generales de la arquitectura y su realización.

1.- INTRODUCCIÓN: LA ARQUITECTURA ENTRE LA TEORÍA Y LA PRÁCTICA. LA INVENCIÓN

La arquitectura, entendida como un proceso que desde las primeras ideas y el planteamiento inicial (el encargo) lleva hasta la construcción de un edificio o la ordenación de un territorio (la obra), sigue los mismos pasos que otras actividades humanas. Sin embargo, no todas estas actividades que hace el hombre tienen ni las mismas causas, ni se mueven por las mismas razones o motivos, ni siguen los mismos esquemas, ni se desprenden las mismas consecuencias. Aunque, ciertamente, todas ellas responden a una estructura básica general común propia de la conducta humana.

Ante un problema echamos mano de los conocimientos previos que tenemos al respecto y de los caminos ricos en posibilidades de encontrar la solución adecuada. En definitiva, resolver un problema (como pueda ser hacer una obra de arquitectura) significa que aplicamos los conocimientos que poseemos al caso concreto con el que nos enfrentamos. O sea, aplicamos lo que sabemos de manera general (teoría) a un situación específica para resolverla satisfactoriamente (práctica).

Siempre, al enfrentarnos ante una actividad que pretende conseguir unos fines, consciente o inconscientemente nos hacemos las siguientes preguntas: *¿Qué* quiero conseguir? *¿Qué* es lo que tengo que hacer? *¿Para qué*? *¿Cuál* es la manera más eficaz para encontrar lo que busco? *¿Por qué* debo actuar de ese modo y no de otro? *¿Cómo* puedo comprobar que voy por el camino correcto? *¿Cómo* puedo saber que he llegado a la mejor solución posible?

Puesto que no todo tipo de actividades son iguales las respuestas a esas preguntas son también distintas entre sí. Hay algunas diferencias que resulta pertinente tener en cuenta. Veámoslo con algunos ejemplos.

1.- Resolución de un problema científico puro (por ejemplo, un problema matemático)

Cuando nos enfrentamos a *un problema teórico-científico puro* (como un problema matemático), aplicamos un método previamente establecido de acuerdo con los conocimientos científicos contrastados que nos permiten una verificación (una comprobación o chequeo) posterior, apoyándonos en las bases teóricas correspondientes. Es decir, aplicamos al caso específico una teoría contrastada. Y, gracias a la existencia de esa base científica, podemos saber, no sólo cómo abordarlo y resolverlo, sino también si el problema está bien o mal resuelto.

No se trata de aplicar criterios particulares y subjetivos, sino que la solución es correcta o errónea de manera objetiva, y eso no depende de la opinión personal de nadie en concreto. En el caso de ser errónea, gracias a que hay un método objetivo de comprobación, podemos repasar todo el proceso seguido para detectar dónde está el fallo y por qué lo hemos cometido. Cualquier persona que conozca la base teórica (en este caso, las matemáticas) puede resolver el problema aplicando el método adecuado y verificar su acierto o error. Siempre que se nos plantee un problema matemático similar actuaremos de la misma manera, siguiendo el mismo método (el *cómo*), para llegar a la solución correcta.

2.- Realización de un experimento en un laboratorio (por ejemplo, para encontrar una vacuna)

Pensemos ahora en lo que hacemos si intentamos resolver *un problema de aplicación científica*, como pueda ser, por ejemplo, la búsqueda de una vacuna en el laboratorio. También en este caso, como en el anterior, hay una base científica y objetiva previa (la biología) y un método sistemático establecido en la aplicación práctica de esa teoría. Es necesario, por lo tanto, planificar meticulosamente el experimento, de acuerdo con esa práctica conocida y aceptada, previendo rigurosamente todos los pasos a seguir según ese método. O sea, también hay un conocimiento (un *pensar*) previo que es el que canaliza su puesta en práctica (el *hacer*).

Sin embargo, ahora, el éxito de nuestro experimento no es sólo consecuencia de haber aplicado bien esos conocimientos y haber seguido estrictamente ese método, sino que implica, también, que incluso habiéndonos ajustado al protocolo pertinente, puede que el resultado no sea el deseado y que el experimento no llegue a buen fin, es decir, que no encontremos la vacuna que buscábamos. La posibilidad del fallo está implícita en este caso. Si no llegamos al resultado pretendido, entonces, debemos replantearnos tanto las bases y supuestos teóricos de los que hemos partido, así como el método seguido, y volver a intentarlo tantas veces como sea necesario.

Todo esto nos permite entender que, aunque este tipo de actividades se apoyan también en unos conocimientos científicos objetivos previos, y en unos métodos establecidos, sin embargo, el acierto no está garantizado de manera absoluta. Aunque, también en este supuesto, la teoría científica en la que basamos nuestro experimento nos permite comprobar de forma objetiva si hemos encontrado lo que buscábamos y, en el caso de haber fracasado, hace posible la revisión de las bases de partida (conocimiento y método) para modificarlas o establecer otras nuevas (replanteamiento de la teoría científica o del método experimental seguido), con el fin de encontrar la solución.

Aquí aparece de manera evidente el *ingenio*, la *perspicacia* y la *intuición* del investigador para descubrir o abrir nuevas posibilidades de experimentación que le lleven al objetivo buscado (encontrar la vacuna en este ejemplo). Pero, además, en la resolución de este tipo de problemas no es despreciable el papel que puede jugar el azar, el cual puede orientarle en el camino correcto para la resolución del problema. Puede ocurrir incluso que, sin buscarlas, encontremos soluciones a otras cuestiones paralelas que no nos estábamos planteando abierta y explícitamente. Hay casos famosos y muy conocidos: como el descubrimiento de la penicilina (1928) que fue el resultado, en cierta medida casual, debido a que los ayudantes del doctor Fleming no fueron muy meticulosos en la limpieza de los instrumentos utilizados; o el descubrimiento de los rayos X (1895) al velarse parcialmente en una cámara oscura unas placas no protegidas; o, el más famoso de todos, la anécdota que se cuenta sobre la manzana que le cayó a Newton (1642/43, 1727) que le hizo intuir la solución al problema de la gravedad que le preocupaba. El grito de Arquímedes (287 a. C., 212 a. C.) de *¡Eureka!* (*lo encontré*), saliendo desnudo del baño al enunciar su famoso teorema, es un ejemplo del papel que juega la suerte y el azar en una *mente preparada para recibirlos*.

Por lo tanto, cuando tengamos que resolver un problema similar, aplicaremos la teoría correspondiente y el método previsto, pero eso no nos asegura el éxito. Aunque siempre tenemos la posibilidad de revisarlo y mejorarlo. El método (el *cómo*) es adecuado mientras no se demuestre lo contrario, pero no garantiza que la solución sea la correcta, pero, si eso ocurre, podemos ensayar y encontrar otro alternativo y mejor. Es por esto que la intuición, por un lado, y la suerte, el azar o la casualidad, por otro, son bazas que pueden llegar a tener un protagonismo relevante en esta clase de actividades.

3.- El juego (por ejemplo, una partida de ajedrez o un partido de fútbol)

Pensemos ahora en un tipo de actividad diferente: una partida de cartas, una partida de ajedrez o un partido de fútbol. En general, los juegos son actividades que plantean *un problema de táctica*. Tenemos también unas bases teóricas de partida aunque ahora no son *objetivas o científicas,* como en los ejemplos anteriores, sino *convencionales*: son las reglas y los reglamentos del juego, los cuales hay que respetar y que, como jugadores, conocemos, asumimos y aceptamos. Y tenemos también un método general (una *táctica*, una manera eficaz de aplicar esas reglas del juego) que utilizamos adaptándolo a cada partida concreta porque nos ha resultado útil en las partidas jugadas con anterioridad (o sea, una *estrategia concreta* que aplica a esta partida *nuestra táctica general* como jugadores, nuestra manera de jugar). Pero la resolución satisfactoria para nosotros de este problema (el ganar la/el partida/o) no depende sólo de eso, sino que está condicionada también, de manera relevante, por las respuestas del contrincante a nuestras jugadas (es decir, su propio método táctico y su estrategia de juego específica en esta/e partida/o), que nos obliga a lo largo del encuentro a ir replanteándonos, reajustando y variando nuestra propia estrategia (como ocurre cuando el entrenador de un equipo de fútbol la cambia a mitad del partido). También aquí tiene un claro protagonismo el azar, la suerte. Para ganar en el juego, por lo tanto, se deben conjugar a nuestro favor tres cuestiones: *nuestra estrategia* (1) como adaptación y respuesta a la *estrategia del contrincante* (2) y la suerte (3).

En cada partido/a jugado/a las bases y reglas del juego, por un lado, el azar, por otro, y las estrategias de nuestros contrincantes, van modificando nuestra propia táctica general, la cual se enriquece y afina con cada nuevo encuentro. Y esa táctica mejorada es la que nos servirá para establecer la nueva estrategia en el/la siguiente partido/a. Por eso, tanto si ganamos como si perdemos un encuentro, podemos seguir acumulando experiencia que, en definitiva, no es sino el ir completando y perfeccionando nuestro propio método (el *cómo: la táctica*) con vistas a nuevas situaciones posteriores similares.

Sin embargo, a diferencia del problema matemático (cuyo método de resolución podemos aplicar con garantías en todas las ocasiones) o el problema de aplicación científica (que tenemos formas objetivas de verificación del resultado obtenido, lo que nos permite controlar su acierto o error), en este caso una mejor estrategia que nos ha sido útil para ganar un/a partido/a, no nos garantiza en absoluto que también vamos a ganar siempre, porque inciden de forma relevante la del contrincante y el azar. No tenemos, por lo tanto, ninguna seguridad absoluta de éxito en lo sucesivo. Lo que no significa que sea inútil tener un método (una táctica de actuación, una *teoría*), porque, aunque el azar tiene un indudable protagonismo, podemos acotarlo y, de algún modo, controlar y limitar su relevancia. Si jugamos bien tenemos *más probabilidades* de ganar, aunque nunca tengamos la *certeza* de que así vaya a ocurrir. Y, por el contrario, es muy raro, aunque no sea imposible, que ganemos, por casualidad, jugando mal. Es lo contrario de lo que ocurre con *los juegos de puro azar*, la lotería, por ejemplo, donde cualquier táctica (como apostar siempre al mismo número, o comprar los billetes en lugares que han sido castigados por una catástrofe o cosas similares) es siempre totalmente inefectiva.

En el caso de *un juego de equipo* (el fútbol, por ejemplo) tanto la táctica general como la estrategia concreta en un partido deben ser, además, *compartidas por todos los jugadores*. Las aportaciones personales, para ser eficaces, deben integrarse en la labor común de todos. Esto significa que los fines y objetivos (*para qué*) deben ser comunes porque el que gana o pierde no es cada jugador particular sino todo el equipo. Luego el éxito está condicionado tanto por el dominio de las reglas del juego (teoría) como por las tácticas y estrategias comunes en su puesta en práctica en cada partido; pero también, no lo olvidemos, por la estrategia del equipo contrincante, y por la suerte. Nuestro método (táctica) se va enriqueciendo a medida que vamos siendo mejores jugadores pero, sobre todo, mejor equipo. Esto significa que el equipo mejora si va perfeccionando su método (táctica), lo que le permite plantear nuevas estrategias más flexibles y adaptables como respuesta a las del contrincante en los encuentros sucesivos. A pesar de todo, nunca está garantizado el éxito porque también interviene el azar, y, por eso, cada partido es distinto a todos los anteriores, aunque hayamos utilizado la misma táctica y las mismas reglas del juego.

4.- La realización de una obra de arte plástico (por ejemplo, un videoclip)

Veamos ahora una actividad que pretende resolver *un problema inventivo-comunicativo*: la realización de un videoclip, por ejemplo. El resultado favorable en este supuesto está condicionado por muy distintos factores. En primer lugar, presupone que debo saber cómo se realiza un vídeo (un *conocimiento teórico-técnico basado en datos objetivos y métodos válidos*) y que además dispongo de los equipos, los medios y el instrumental necesario como cámaras, montadoras, presupuesto, etc., para poder hacerlo (*soporte material*). Pero todo esto no es suficiente. Necesito tener, también, una cierta habilidad en su manejo (*conocimiento práctico*). Saber hacerlo (*conocimiento teórico y habilidad*) y disponer de los medios para hacerlo (*soporte material*) sirven para la realización de un videoclip (el *cómo*), pero, para filmarlo, necesito, previamente, plantearme el contenido de lo que quiero contar (el *qué*) y lo que pretendo conseguir (*para qué*). Esta última cuestión enlaza con los destinatarios o espectadores de la obra (*a quién*). Tener éxito implica, no sólo establecer los fines y objetivos que pretendo alcanzar, sino también, saber *a quién* se lo quiero contar y, por lo tanto, la manera más efectiva para que lo entiendan, lo aprecien y lo disfruten.

En la realización de una actividad comunicativa, como un videoclip, se entrecruzan, por lo tanto, varios niveles:

1.- En primer lugar estaría lo que corresponde a un problema inventivo: *qué es lo quiero hacer y por qué*. Esta cuestión en esencial en el caso de la creación artística, porque lo relevante no es *qué quiero contar* sino *cómo hacerlo*. El valor de la obra no está en la importancia, singularidad, excepcionalidad, rareza o relevancia del contenido (el tema, el *qué*) sino en el modo en que se realiza (el *cómo*). Un contenido que puede parecer muy relevante (el amor, la muerte, la venganza…) puede dar origen a obras maestras, como los *Sonetos de*

amor de William Shakespeare (1564-1616) o los cuadros *La muerte de Marat* y *El juramento de los Horacios* ambos del pintor Jacques-Louis David (1748-1825). Pero el mismo tema puede ser también el contenido de obras triviales y anodinas como los *culebrones de amor* televisivos. Y viceversa, temas que, en principio, pueden parecer vulgares como freír unos huevos o encender un ascua han sido plasmados de forma genial por pintores como Diego Velázquez (1599-1660) (1618: *La freidora de huevos*) y El Greco (1541-1614) (antes de 1570: *Muchacho soplando una brasa*).

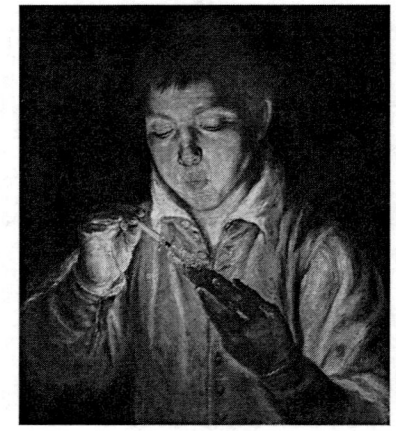

FIG. 1: El Greco,
Muchacho soplando una brasa (c. 1570)

2.- Implica, en segundo lugar, una disponibilidad previa de los materiales y el soporte técnico necesario (*con qué*) sin los cuales no existe la obra sino sólo la idea o la intención. Esto no es algo secundario porque si no controlamos lo que realmente tenemos a nuestra disposición y no sabemos cómo hay que manipular la materia con la que queremos hacer nuestra obra, es decir, si carecemos de los conocimientos y la habilidad necesarios, podemos encontrarnos con la desagradable sorpresa de que lo que pretendemos hacer sea algo imposible o inviable. Siempre tendremos que aquilatar *lo que queremos hacer* a los medios disponibles que tenemos, incluidos los medios económicos y presupuestarios. Ser capaces de encontrar el adecuado equilibrio entre *lo que **queremos** hacer* y *lo que **podemos** hacer* no es en absoluto una cortapisa para el buen resultado del trabajo sino que suele ser algo esencial y que lo enriquece. Esto no significa que primero nos planteemos el hacer algo y luego tengamos que ir recortándolo para ajustarnos a los medios disponibles (este es el modo de ir devaluándolo y empobreciéndolo cada vez más) sino que, ***desde el principio***, tenemos que aquilatar y sopesar la posibilidad de su realización según los medios que están a nuestro alcance, y a nuestra conocimiento y capacidad de manipulación de esos medios y técnicas.

3.- Por último, implica también un dominio táctico y estratégico en función de los destinatarios de los que esperamos una acogida favorable de nuestro trabajo, o sea, una cuestión comunicativa: *para quién*. Y, en esta última característica, se cruza otro aspecto que puede llegar a ser contradictorio, ya que el primer destinatario de una obra de arte es el mismo autor y, en consecuencia, el primero que debe disfrutar de su obra es él mismo. Este choque entre la satisfacción personal del artista y el éxito de su obra entre el público, puede conducir a dos formas de fracaso en este tipo de actividad: por un lado, el artista *"incomprendido"* y marginado que hace obras sólo para sí mismo y que sólo él entiende y disfruta; y por el otro, el artista de éxito que hace obras con un exclusivo fin comercial, sólo para alagar el gusto de la gente, pero que es muy consciente del nulo valor de su trabajo. Encontrar el equilibrio entre la satisfacción personal y la aceptación de la obra es la clave de toda actividad *comunicativa*: se trata, por lo tanto, de decir y hacer lo que queremos, sabiendo que eso es útil y enriquece también a la gente que lo recibe.

En definitiva, si quiero tener éxito con mi videoclip tendré, en primer lugar, que acotar lo *que quiero hacer* y *saber cómo hacerlo*, previamente tendré que conocer el *soporte material necesario del que dispongo* para su realización y controlar la viabilidad entre lo que quiero hacer y los medios que tengo para hacerlo, pero también necesitaré tener en cuenta *qué es lo que se espera* para que sea aceptado por aquellos a quienes se dirige.

A diferencia de lo que ocurre con la pintura o con la poesía, donde esas son las claves más relevantes para la resolución de una obra, en el caso de un videoclip hay además otras implicaciones que es necesario, igualmente, tener en cuenta:

4.- Sobre todo las que se refieren al *conocimiento táctico y su aplicación estratégica* en el caso concreto. Por ejemplo, todos los que intervienen en un videoclip: actores, músicos, técnicos de iluminación, escenógrafos, maquilladores, etc. El acierto del resultado depende, no sólo de la capacidad del director del video (su conocimiento del *cómo*) sino también de las habilidades de *cada uno de los participantes* en sus respectivos cometidos (el *cómo* específico de cada uno de ellos en su trabajo). Un mal actor, por ejemplo, puede destrozar lo que podría ser un buen vídeo.

A pesar de todo esto, dando por supuesto que todas estas cuestiones se conjugan positivamente, el éxito final no está garantizado en absoluto. Serán los espectadores los que, en última instancia, darán o no su aprobación, les gustará o no, y ésta es, en realidad la prueba definitiva. Incluso aunque la obra sea técnicamente deficiente (por ejemplo, por falta de habilidad y de conocimiento práctico del autor) puede, sin embargo, tener un gran éxito (algo que vemos todos los días en *internet*). La verdadera meta a alcanzar, por lo tanto, es conseguir la aceptación y evitar el rechazo de los destinatarios de la obra.

Hasta aquí hemos repasado cuatro situaciones diferentes con las que nos podemos encontrar en la realización de actividades destinadas a un fin: un problema científico, un experimento, un juego y una obra de arte. Los ejemplos y situaciones posibles se podrían multiplicar. Aunque en todos ellos encontramos algunas constantes que es lo que pretendía resaltar:

1.- La primera es que toda actividad implica una teoría previa implícita o explícita (el *pensar*) para realizarla con éxito (*el hacer*). A mejor conocimiento de esa base teórica (teorías científicas, reglamentos deportivos, etc.) mayores garantías tendremos de conseguir nuestro empeño.

2.- Y este conocimiento es necesario aprenderlo, no se tiene por ciencia infusa o por inspiración gratuita. Ni el matemático, ni el científico, ni el jugador, ni el artista nacen con un conocimiento espontáneo capaz de garantizar el éxito en su propia actividad. Podrán tener unas aptitudes más o menos innatas, pero eso no sirve para nada si no adquiere el conocimiento pertinente. Y en esto no hay diferencia entre el matemático, el científico, el futbolista y el cineasta, en contra de la opinión generalizada de que *el artista nace, no se hace*. Por mucho que alguien *nazca artista* si no *se hace*, es decir, si no aprende los conocimientos pertinentes, nunca llegará a serlo.

3.- La aplicación de esa teoría al problema concreto con el que nos enfrentamos (el *qué*) presupone, a su vez, la elaboración de un método (el *cómo*) que varía en función del tipo de problema. Y también en este caso, el conocimiento del método, la habilidad para ponerlo en práctica, no es algo que se tenga de forma natural sino que es necesario aprenderlo y dominarlo. Por lo tanto, es algo que no es resultado de un mero conocimiento teórico sino que implica su aplicación, su puesta en práctica, su *entrenamiento*. Si esto nos resulta evidente en el problema científico o en el experimento, también lo es, igualmente, en las cuestiones de estrategia (el juego) y en las obras de arte. Conocer a la perfección los reglamentos del fútbol o las reglas del juego de ajedrez no nos convierten, sin más, en buenos jugadores. Sólo jugando muchas partidas/os podremos llegar a serlo. Alguien puede tener una disposición natural para ser jugador de tenis o puede tener una buena voz, pero para ser un buen tenista o un buen cantante debe entrenarse de manera dura y constante, afinar sus métodos, dominar su actividad específica. Aquel que esté dotado pero no conozca las bases teóricas ni ejercite la técnica adecuada a su actividad, nunca llegará a ser ni un buen tenista ni un buen cantante. Y, por el contrario, es frecuente que un jugador de tenis mediocre o alguien que carece de unas dotes vocales excepcionales, pueda llegar a destacar porque ha aprendido a extraer las máximas posibilidades de su limitada capacidad. En esto estriba la diferencia entre el aficionado o diletante, por muy bien dotado que esté, y el profesional.

4.- Resolver de manera positiva una actividad (*qué*) significa que debemos, no sólo conocer esos posibles métodos de resolución y saber aplicarlos (*cómo*) mediante el entrenamiento constante, sino también tener la habilidad para elegir la estrategia más pertinente a nuestros fines y objetivos en cada situación concreta (*para qué*) adaptándonos, en consecuencia, a los medios y posibilidades disponibles en cada caso (*con qué*).

5.- Pero, además, cuando la actividad es social y compartida (acción comunicativa), debemos tomar en consideración la estrategia y la táctica más eficaces tanto de los que forman parte de nuestro propio equipo (*con quién*) como de los destinatarios (*para quién*).

6.- Por último, hay que encontrar la posibilidad de verificar el resultado para saber si hemos conseguido o no lo que nos proponíamos y, en su caso negativo, poder rectificar. Algo que también es distinto en cada supuesto.

1.1.- Teoría puesta en práctica: proyectar y construir

Centrando este planteamiento genérico a nuestros intereses podríamos preguntarnos: *¿A cuál de todas estas posibles maneras de abordar una actividad se parece más la ejecución de la arquitectura?* Si la realización de proyectos y la construcción de obras es una actividad, responderá, de manera general, a esa estructura que he apuntado. Se basará en un conocimiento teórico (*pensar*) que se aplica a la resolución de un caso concreto (*hacer*) de acuerdo con un método contrastado y eficiente, así como en una habilidad fruto de la práctica (*cómo*), y podremos verificar si se consiguen o no los fines para los que se hace la obra. Pero ya hemos visto que los métodos varían y la certeza en el resultado oscila entre la *seguridad absoluta* (del problema matemático) a la *incertidumbre* (en el caso del videoclip).

La manera en que he expuesto los casos anteriores ha sido una simplificación a fin de poder subrayar algunos aspectos relevantes. Si intentamos entender en toda su complejidad la resolución de un problema arquitectónico, nos daremos cuenta de que participa, en alguna medida, de todos los ejemplos expuestos. Es, por lo tanto, una *actividad compleja* con aspectos que reclaman ser abordados como un problema científico, cuestiones que precisan de un enfoque racional y una verificación práctica, temas más próximos a lo que sería una acción estratégica, y características que lo asimilan a una actividad comunicativa o artística.

En realidad, el arquitecto necesita de las teorías científicas para controlar eficazmente su obra, aunque no es un *teórico puro* (como pueda ser un matemático), porque sus fines, como arquitecto, no son elaborar teorías como hace el matemático, sino conocerlas y aplicarlas. Tampoco es un mero *experimentador* (como lo es un investigador en un laboratorio) aunque debe ser capaz de fomentar y utilizar la intuición, el azar o la perspicacia para encontrar los caminos ricos en posibilidades y las soluciones pertinentes. Aunque la arquitectura no es un juego, sin embargo, el arquitecto, tiene que ir creándose su propia táctica y sus estrategias concretas para abordar, con algunas garantías de éxito, la cuestiones que quiere resolver. Esto implica dos aspectos complementarios: por un lado, ha de tener la información de cómo se han abordado, tanto a lo largo de la historia como en la actualidad, esos mismos problemas, es decir, saber qué se ha hecho al respecto y por qué, con el fin de dotarse de criterios para encontrar su propio método. Y ha de ejercitarse para saber cómo enfrentarse eficazmente a su resolución. Lo que supone el entrenamiento y la práctica, o sea, la adquisición de las habilidades necesarias. Siendo consciente, además, de que son muchos los partícipes e interesados en el proceso de creación de la arquitectura desde el promotor al usuario, y, en consecuencia, necesita dominar las estrategias propias de las actividades compartidas y comunicativas. Pero sería erróneo considerar que el arquitecto es un mero artista (como un poeta, un músico, un pintor o un cineasta) porque su obra no es sólo un acto de comunicación, sino que tiene implicaciones utilitarias, sociales y económicas. Lo que no significa que no tenga que conseguir, como cualquier artista, que su obra, además de gustarle a él mismo, sea también aceptada por los usuarios que son los que la ocupan y los que viven en ella, no los otros arquitectos o los que la conocen o la visitan circunstancialmente.

En consecuencia, para hacer arquitectura necesitamos, al menos, conocer, abordar y dominar diferentes cuestiones que, en definitiva, es lo que se os pretende transmitir a lo largo de los años de formación universitaria. Tal vez lo que quiero decir se puede entender mejor con ejemplos:

- Aunque el arquitecto, en la definición de estructuras, en la elaboración de los presupuestos, en la representación de las formas y en otros muchos aspectos del proyecto y la obra, utiliza las matemáticas, el cálculo y la geometría, para él, éstas no son un fin en sí mismas, sino un medio. Por lo tanto las usa pero lo hace de un modo diferente al matemático y al geómetra.

- El arquitecto debe saber dibujar para poder concretar sus ideas y proyectos, y en la medida que mejor domine la representación gráfica, mayores posibilidades tiene de expresar más fielmente sus ideas. Pero para el arquitecto *el dibujo no es un fin*, como lo es para un dibujante o un pintor, sino *sólo un medio al servicio de la obra de arquitectura*. Si el dibujo se convierte en un fin en sí mismo, deja de ser útil para la obra, porque buscará unos valores plásticos o formales propios del universo del dibujo pero extraños a los valores arquitectónicos, los cuales pueden enturbiar la información pertinente que el plano debe aportar para que sea bien comprendido por los constructores que deben traducirlo a la realidad física del edificio.

FIG. 2: Hans Poelzig: Teatro de los Festivales (Salzburgo 1920). *Croquis de la idea inicial: el fin es concretar formalmente la idea.*

FIG. 3: Richard Rogers, Renzo: Piano, Centro Beaubourg (Pompidou) (París, 1974). *Maqueta de concurso: el fin es captar la atención del jurado.*

FIG. 4: Ludwig Mies van der Rohe: Bloque de viviendas en la Weissenhsiedlung (Stuttgart, 1927). *Detalle de la escalera: el fin es dar la solución al constructor.*

- El arquitecto, ante un problema concreto, por ejemplo, construir una escuela, tiene que conocer qué es una escuela, cuáles son los reglamentos y normas que rigen esa clase de edificios en nuestro entorno, qué plantean los pedagogos al respecto, qué soluciones y ejemplos se han dado con anterioridad a este tipo de proyectos, qué aportaciones o errores tienen cada uno de ellos, qué ejemplos son mejores y por qué, hasta qué punto son aplicables al caso concreto con el que se enfrenta… Pero todo eso no significa que el arquitecto tenga que convertirse en un pedagogo, ni en un legislador, ni en un historiador, ni en un crítico. Necesita tener una información lo más completa posible de todos esas cuestiones, pero la necesita en la medida en que es pertinente para el proyecto concreto con el que se enfrenta. *El fin es la obra*, no la pedagogía, ni la normativa, ni la historia, ni la crítica arquitectónica.

1.2.- La práctica como revisión de la teoría: uso, reflexión crítica, vivencia

Todo esto nos conduce a que, en el caso de la arquitectura, la relación entre *el pensar* y el *hacer* se estructura de un modo específico. Si el fin es la obra de arquitectura, es a partir de ahí que el arquitecto buscará en cada ocasión el soporte teórico y los métodos más adecuados para abordarla con garantías de éxito. Esto supone que el juicio sobre el resultado, sobre el edificio construido, es lo más esencial para saber si se han conseguido o no los objetivos planteados, si se han alcanzado los fines previstos. La capacidad de *autocrítica* durante todas las fases del proceso así como del resultado final, es la clave para el trabajo del arquitecto. Me atrevería a decir que todas las enseñanzas que se imparten van orientadas a esta meta: que vayáis adquiriendo vuestra propia capacidad de juzgar objetivamente vuestro trabajo para saber si se han alcanzado o no las metas buscadas y por qué. Y esta capacidad de autocrítica es algo que sólo la puede aprender uno mismo con su propio esfuerzo.

Cuando a lo largo de vuestra carrera los profesores y tutores os vayan aportando una *información* sobre las diferentes materias, en realidad lo que pretenden es suministraros algunos puntos de arranque básicos para que, en lo sucesivo, seáis vosotros mismos quienes podáis *buscar la información pertinente* en cada momento. No se trata, por lo tanto, de acumular mucha *información* (que hoy es fácilmente accesible) sino *formación:* es decir, saber *dónde* y *cómo buscar* lo que podáis necesitar cuando tengáis que enfrentaros a un proyecto y una obra. Tal vez uno de los aspectos más singulares de la formación de los arquitectos es que el ***aprender arquitectura*** no significa prioritariamente dominar unos conocimientos teóricos para su aplicación directa y lineal, sino *aprender a poner en práctica un modo de hacer* que incluye *la creación de las propias bases teóricas necesarias en cada ocasión*. Y este aprendizaje sólo puede adquirirlo uno mismo mediante el ensayo, el ejercicio y la práctica. Es como ir en bicicleta. Sólo se aprende de verdad, no cuando conocemos detalladamente la mecánica de la bicicleta o cuando hemos aprendido la teoría de cómo conservar el equilibrio, sino cuando nos hemos montado y nos hemos caído varias veces: entonces aprendemos en realidad lo que es ir en bicicleta manteniendo el equilibrio.

En este modo de aprendizaje, la práctica, la propia experiencia, se convierte en lo esencial. Una experiencia que se va acumulando, matizando, haciéndose más compleja y rica a medida que vamos ampliando nuestro campo de actividad con nuevos casos, con nuevos ejercicios, con nuevas prácticas, con nuevos proyectos. De hecho es un tipo de *práctica* que hace de la arquitectura existente un campo de pruebas siempre abierto ante nosotros.

Los buenos reporteros comentan que van siempre con su cámara preparada porque la imagen buscada, la noticia, puede surgir de forma inesperada en cualquier momento. Los arquitectos tenemos una ventaja respecto a ellos, porque la arquitectura nos rodea todos los momentos de nuestra vida, no tenemos necesidad de ir a buscarla ni esperar que se nos aparezca de sopetón. Si la experiencia es la base para la formación de nuestros propios criterios de valoración y juicio que, a su vez, son los que nos permiten enfrentarnos con seguridad a los problemas arquitectónicos que nos planteemos (proyectar y dirigir obras), entonces, podemos estar formándonos como arquitectos en cualquier sitio, en cualquier momento y en cualquier situación. Nos basta con entrenar y utilizar unas pautas mínimas de percepción atenta y de observación para que esa experiencia sea fructífera.

Usamos los edificios y los espacios y, al usarlos, podemos comprobar si son cómodos, si responden adecuadamente a nuestras necesidades, si son satisfactorios, si se está bien en ellos. O no, si, por el contrario, son incómodos, si nos resultan desagradables, inhóspitos, si nos disgustan. La *vivencia* directa y continua de la arquitectura y de la ciudad, la que ocupamos de manera despreocupada diariamente, o la que visitamos y queremos fijar en nuestra memoria, es la que nos permitirá ir creando nuestro propio mundo de referencia, nuestro propio universo de valores y modelos, nuestros gustos y preferencias, los cuales se irán convirtiendo en hitos recurrentes en nuestros propio trabajo cuando nos planteemos los proyectos y las obras que hagamos. Frente a la *información* recibida que se irá poco a poco sedimentando en nuestra mente a través de revistas, comentarios, libros, clases, imágenes… *la vivencia directa* de la arquitectura nos da una *certeza en nuestros juicios* que es esencial. Porque vivir y experimentar algo es una forma mucho más eficaz de comprenderlo y asimilarlo que simplemente saberlo porque lo hemos aprendido. Por eso, la experiencia de la arquitectura es algo insustituible para crearnos nuestra base personal de valores y gustos como sustrato para nuestro trabajo. En este sentido conocer en vivo las obras, recorrerlas, visitarlas y experimentarlas, es algo que no se puede sustituir por nada. Por muchas imágenes, planos, fotos, vídeos, maquetas, comentarios, escritos… que conozcamos de una obra de arquitectura, hasta que no la hemos vivido y recorrido, no podemos decir que realmente la hemos *comprendido*, porque *conocer* no es *comprender*. Ninguna representación de la arquitectura puede reemplazar su vivencia. Una *vivencia* que, muchas veces, nos hace cambiar o matizar los juicios previos que teníamos a partir de su mero *conocimiento* basado en representaciones o comentarios.

Pero para fijar esa experiencia evitando que sea algo pasajero o vago que se olvida fácilmente, es necesario racionalizarla y sistematizarla de algún modo. Ante todo, debemos evitar los *prejuicios* que pueden enturbiar nuestras reacciones ante las obras queriendo encontrar en ellas lo que se supone que debemos experimentar porque nos lo han dicho o porque lo hemos leído. Por el contrario, debemos dejarnos llevar por las sensaciones y reacciones que la experiencia de la arquitectura nos despierta, tanto si son positivas como negativas. Pero, inmediatamente, tenemos que hacer el esfuerzo de racionalizarlas preguntándonos: ¿Por qué es así? ¿Qué es lo que hace que me sienta bien o mal? ¿Cuál es esa cualidad específica (color, material, luz, dimensiones, escala, imagen, atmósfera…) que le da ese carácter concreto? ¿Por qué me gusta o disgusta? Si la *vivencia* es lo que nos da la certeza de nuestras reacciones ante la arquitectura, la *reflexión crítica* es la que nos aporta *su sentido* y nos aclara las razones de nuestra experiencia. Y, por lo tanto, es la que nos permite no sólo *comprenderla* sino, también, *asimilarla* para poder aplicarla en nuestro trabajo. Es decir, saber cómo podemos actuar para que nuestras propias obras sean capaces de despertar las mismas reacciones positivas, o evitarlas si son negativas.

Esto es algo que podemos y debemos hacer constantemente, insistentemente, continuamente. Hay una cierta *deformación profesional* que hace que los arquitectos tengamos siempre presente, de una manera *más o menos consciente*, el espacio donde estamos, juzgándolo y extrayendo conclusiones que, tarde o temprano, aflorarán en nuestro trabajo. Llevar siempre a mano un cuaderno donde vamos fijando nuestra experiencia con anotaciones y dibujos es un método muy útil para sacar el máximo provecho a nuestras vivencias cotidianas. Todos los grandes arquitectos lo han hecho y resulta muy instructivo ver en esos cuadernos de notas el modo en que captaban la arquitectura, lo que les atraía, las cuestiones que les suscitaba, las reflexiones que les despertaba, comprobando cómo esas anotaciones y croquis hacían acto de presencia, finalmente, en sus obras maestras. No se trata sólo de sacar fotografías de lo que vemos. Como ha dicho Le Corbusier, la cámara fotográfica es el ojo del vago. Porque las fotos no reclaman el esfuerzo de mirar intencionadamente, ni de reflexión que es sustancial para fijar las experiencias. Las fotos son útiles, sin duda, pero lo son aún más si las imágenes las reforzamos y fijamos con anotaciones, comentarios escritos y dibujos.

FIG. 5: Le Corbusier, Cuaderno de viaje (1911): *Dibujos de Pompeya*.

El uso de la arquitectura (1), la vivencia de su experiencia directa (2) y la reflexión crítica de las reacciones que nos despierta (3), fijadas y racionalizadas de algún modo (4) e incorporadas a nuestra personalidad, es lo que nos va formando como arquitectos. Una formación que nos da las bases y las pautas para actuar y que se convierte en el sustrato general que sirve de arranque cuando nos enfrentamos a un nuevo proyecto u obra.

Además de esa base o sustrato general que refleja nuestro modo personal de crear la arquitectura, en cada nueva obra que realizamos, se nos plantea la necesidad de su verificación, es decir, la comprobación de si hemos logrado o no lo que pretendíamos. Se trata de ver hasta qué punto esa base general ha sido eficaz en su aplicación práctica específica. Esta comprobación refuerza nuestras convicciones (nuestros modos de actuar) o las corrige, modifica y perfecciona. Se cierra así el círculo donde las bases teóricas (el *pensar*) que nos permiten actuar (el *hacer*) se ven continuamente confirmadas, enriquecidas o replanteadas por la reflexión crítica sobre el éxito o el fracaso de los resultados. Se origina así un nuevo punto de partida (un nuevo *pensar* continuamente revisado y actualizado) que servirá de base para actuaciones posteriores (el *hacer:* los sucesivos proyectos y obras) en una espiral sin fin que va a caracterizar toda nuestra vida profesional como arquitectos.

De forma esquemática se podría sintetizar en cinco etapas entrelazadas entre el *pensar* y el *hacer,* cerrando el círculo en continua evolución de nuestra actividad como arquitectos:

I.- PENSAR: Como creación de nuestro SISTEMA GENERAL DE VA-LORACIÓN que nos sirve para realizar nuestro trabajo. Implica:

> 1.- El uso de la arquitectura y la ciudad.

> 2.- La experimentación directa: vivencia.

> 3.- La reflexión racional sobre las reacciones que nos despierte la vivencia.

> 4.- La sistematización racional y la fijación de esas reflexiones como **base del conocimiento que nos sirve para actuar como arquitectos**.

II.- HACER: Como puesta en PRÁCTICA DE NUESTROS CONOCIMIENTOS, MÉTODOS Y VALORES en los proyectos y las obras con las que nos enfrentamos en nuestro trabajo.

> 5.- La valoración de nuestras obras (en el sentido de si se ajustan o no a lo que pretendíamos), que da origen a una **revisión, ajuste y perfeccionamiento de nuestro sistema de valores** (nuevo estadio del pensar).

En todo esto hay, sin embargo, un peligro que debemos evitar: que esa vivencia y reflexión crítica se convierta en algo autista y ensimismado, algo que sólo nosotros somos capaces de apreciar y entender. La arquitectura tiene siempre una dimensión pública y social (o sea, incumbe y afecta a otros que la viven, la disfrutan o la padecen), la cual desborda los estrechos límites del autor: son los ocupantes, los usuarios, los destinatarios de los edificios y los espacios urbanos. La reflexión sobre la aceptación o el rechazo de las obras de arquitectura o de la ciudad, no es algo que nos atañe sólo a nosotros como autores o como arquitectos. Y, en consecuencia, esta dimensión pública es algo insoslayable en nuestra valoración final de la obra. Si nuestra reacción y valoración de nuestras obras no es compartida por los usuarios, entonces debemos indagar las causas para extraer las consecuencias pertinentes. Antes he aludido al peligro de los *prejuicios* que pueden distorsionar nuestra vivencia de la arquitectura a la que debemos enfrentarnos directa y abiertamente sin ideas preconcebidas que la condicionen. Pues bien, de manera simétrica, el *juicio ensimismado* de nuestras propias obras puede invalidar su esencial dimensión comunicativa y la valoración final de nuestro trabajo.

1.3.- La invención como conocimiento: creatividad e imaginación

Todo lo anteriormente expuesto nos da las claves de por dónde discurre lo que se conoce como *creatividad* en el ámbito de la arquitectura. La creatividad no es algo inefable o sublime que surge sin saber cómo por vericuetos insondables de la mente, sino que es algo que responde a unos parámetros en gran medida controlables: sale del conocimiento, no de la ignorancia, y de la imaginación, no de la fantasía. Imaginar es *descubrir en la realidad* nuevas e inéditas posibilidades, mientras que fantasear es *evadirse de la realidad* en mundos oníricos y elucubraciones escapistas, triviales e inverosímiles. El conocimiento de la realidad ilumina, su ignorancia ofusca. La imaginación crea imágenes que se sustentan en lo real. La fantasía engendra fantasmas inexistentes e irreales.

El conocimiento nos aporta los datos, la información, las condiciones que acotan y marcan el problema al que nos enfrentamos, las vías posibles para su resolución. Y es a partir de ahí, usando como trampolín la realidad de las cuestiones que plantea el trabajo al que nos enfrentamos, cuando la imaginación puede dar el salto creativo a la solución, capaz de dar satisfacción a todas las demandas que, en principio, nos pueden parecer contradictorias o contrapuestas.

El pensamiento racional, el método, la indagación sistemática, van construyendo pacientemente una malla de líneas e ideas que se entrecruzan y chocan, como si el problema que tenemos entre las manos (el proyecto arquitectónico) fuera irresoluble. En esos momentos parece que estamos desbordados, que la complejidad es tan grande que nos sobrepasa, que los diferentes aspectos del proyecto se anulan entre sí, que los fines parciales que perseguimos son irreconciliables. Es entonces, al borde del desaliento, mientras la mente bulle tensada en direcciones opuestas, cuando realmente el problema está madurando y en nuestro inconsciente, sin saber bien cómo, se precipita la respuesta creativa, la imagen que ata y satisface todas aquellas cuestiones que formaban una madeja de incógnitas que parecía caótica e inabordable. Después del esfuerzo, del cansancio hasta casi el agotamiento, incluso del desánimo, en el mismo instante en que aparece la invención creativa, la satisfacción nos desborda y nos arrastra. Los arquitectos, en realidad todos aquellos que hacen un trabajo creativo, conocen bien ese momento embriagador. Esa borrachera. El momento de la invención nos llena plenamente y es lo que de una manera relevante sustenta nuestra vocación.

El enfoque sistemático y racional, agotando el problema desde todos los frentes posibles, está de hecho incubando en el inconsciente la invención creativa. Hay una relación de interdependencia entre la mente racional sistemática y la imaginación. La creatividad es, en realidad, hija del esfuerzo, del empeño, del trabajo tenaz, de la insistencia, de la exhaustividad en agotar todas las posibilidades que se abren ante nosotros, del afán de superación siempre insatisfecho. Haciendo referencia a esta cuestión, Picasso decía: *Cuando llegue la inspiración que me encuentre trabajando.*

Pero el momento creativo genera en nosotros un sentimiento de satisfacción tan profundo que conviene ser cautos y no dejarnos llevar por el entusiasmo. Es nuestra capacidad de crítica la que debe decirnos si el resultado es adecuado y satisface, de hecho, todas las cuestiones planteadas. *La autoevaluación crítica se convierte en la prueba definitiva de la idoneidad del proyecto.* Por eso, todos los grandes creadores recomiendan que, tras el momento de la invención, cuando estamos todavía aturdidos con el resultado obtenido, nos distanciemos de él, lo apartemos de nuestra mente, lo dejemos reposar un tiempo (el gran arquitecto italiano del s. XVI Palladio recomendaba dejar los proyectos un año antes de darlos por buenos), para poder volver con la mente fría y juzgar, de la manera más objetiva posible, si el resultado es, verdaderamente, correcto. La *autocrítica* distanciada y reposada se convierte en la clave de todo el proceso creativo. Lo cierto es que *sólo nosotros mismos* sabemos hasta qué punto hemos logrado, o no, lo que pretendíamos. Cuando nos hemos formado ya nuestro propio sistema de valores (nuestro *ideocanon*), ni los comentarios favorables de los profesores, de los clientes, de los compañeros, son definitivos, porque sabemos bien que podremos *engañar* a otros convenciéndoles del valor de nuestro propio trabajo, pero no podemos *engañarnos a nosotros mismos*. La insatisfacción que manifiestan muchos grandes artistas ante su propia obra es una prueba de su alto nivel de autoexigencia.

Esta autoexigencia, que nos marca las metas que queremos alcanzar, es también el estímulo que nos impulsa a superarnos continuamente. Por eso, la valoración de los resultados (el apartado 5 anterior), se convierte en el punto de arranque, cada vez más afinado y matizado, de los nuevos retos que nos planteamos en los proyectos sucesivos. Quiero resaltar tres cuestiones:

1.- La CLAVE DE LA INVENCIÓN está en el rigor del pensamiento racional que hace posible la capacidad de descubrir soluciones inéditas a cuestiones y problemas complejos, evitando, así, lo que el gran arquitecto alemán Walter Gropius (1962, p. 68) llamaba el *diseño precoz* que surge cuando aún no está agotada la consideración de todas las variables que intervienen, ni se ha realizado el análisis minucioso de todas las ventajas o inconvenientes de las posibles soluciones alternativas.

2.- La VALORACIÓN DE LOS RESULTADOS es la certeza personal y profunda de si hemos encontrado la respuesta idónea a lo que nos proponíamos.

3.- La CONSTANTE REVISIÓN DE NUESTROS CRITERIOS, a partir de esa valoración de los resultados obtenidos, nos sirve de punto de arranque y sustrato para nuevas invenciones.

Entre el conocimiento (el *pensar*) y su puesta en práctica (el *hacer*) se establece una malla de interdependencias y vínculos. El conocimiento se matiza y enriquece desde la práctica, sirviendo así como estímulo de la *invención*. Pero a su vez, la invención y la práctica se *valoran* y se juzgan desde *los criterios* que nos aporta la experiencia concreta, los cuales, a su vez, se convierten en el nuevo *pensar* (el conocimiento que se va ampliando continuamente) que canaliza la invención.

Pensar-hacer-repensar se van trabando con la **invención-la autocrítica-la revisión de los criterios**. La *invención* es la puesta en práctica del conocimiento que poseemos a un problema concreto: o sea, *el pensar aplicado a la práctica*. La autocrítica es la aplicación del pensamiento al resultado y cuya consecuencia es la revisión del conocimiento: o sea, *la práctica que modifica y replantea el pensar*.

Hacer arquitectura no es un proceso lineal desde el conocimiento a su aplicación práctica, sino un proceso de *retroalimentación* donde la práctica se convierte en la revisión del conocimiento del que se ha partido. Por eso la solución a un problema arquitectónico no se rige por métodos cerrados y protocolos establecidos y constantes que se despliegan siempre igual, sino que la **invención creativa** asume el protagonismo. Pero esa invención creativa no es algo que surge de manera inefable y espontánea sino que se asienta sobre el conocimiento y la experiencia que la misma práctica nos aporta. Y en todo esto, la valoración final, tanto de la invención como de los resultados, está asentada sobre el sistema de valores del que nos hemos ido dotando a través de nuestra experiencia y nuestra vivencia de la arquitectura.

FIGS. 6-10: Le Corbusier: Villa Savoye (Poissy, 1929). *Croquis, esquema de alzado, plantas, obra en ejecución y fotografía: del pensar al hacer.*

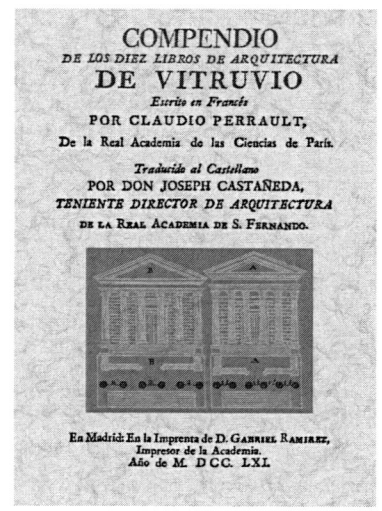

FIG. 11: Joseph Castañeda (1761): *Compendio de los diez libros de arquitectura de Vitruvio...*

2.- LAS BASES

Hasta ahora hemos dicho que al hacer arquitectura nos apoyamos en un conocimiento (el *pensar*) que nos aporta las bases para poder actuar aplicándolas al caso concreto al que nos enfrentamos (el *hacer*). Y que esa actividad reclama un modo de actuar (el *cómo*) específico, donde la evaluación del resultado se convierte en el nuevo punto de arranque para las sucesivas actuaciones. Por lo tanto, cada nueva obra enriquece y matiza nuestra forma de trabajar. También hemos visto que es una actividad compleja que se parece, pero no se identifica, con la del científico, la del experimentador, la del jugador y la del artista. Es un trabajo que, para resolver determinados aspectos del problema, debe abordarse desde los presupuestos científicos (física, matemáticas…), pero otros reclaman un enfoque estratégico, y otros, presuponen una acción comunicativa o artística. Todos ellos son necesarios y complementarios, y juegan un papel relevante en la invención arquitectónica. Por lo tanto, las bases del conocimiento que necesita el arquitecto para hacer su trabajo coincidirán, en alguna medida, con las que emplean, en sus actividades respectivas, el científico, el jugador, el artista, el experimentador… ¿Cuáles son, en consecuencia, esas bases que configuran el conocimiento que le es pertinente al arquitecto para poder realizar su trabajo?

El arquitecto romano Vitruvio, que es el autor del tratado de arquitectura más antiguo que conocemos llamado *Los diez libros de Arquitectura* (1995), al comienzo de su texto nos dice lo que debe conocer el arquitecto para resolver bien su trabajo. Empieza estableciendo que la arquitectura es **práctica** y **teórica**, por lo que el arquitecto debe basarse en ambas a la vez, porque el que sólo se preocupa de la práctica, dice, no conseguirá hacer nada de valor, pero el que sólo se interesa por la teoría se quedará en puras elucubraciones de las cosas (en *la sombra de la realidad* escribe) pero no en las cosas mismas, es decir, en las obras construidas. Conviene no olvidar nunca que *la arquitectura es, fundamentalmente, la obra construida*, no su representación, ni su dibujo, ni su maqueta, ni su proyecto. En definitiva, el conocimiento específico del arquitecto, las bases para su trabajo, incluyen cuestiones *teóricas* y aspectos *prácticos*.

A continuación, Vitruvio enumera esos conocimientos que debe tener el arquitecto diciendo que debe ser literato y conocer la historia (para poder entender y explicar el sentido y el significado de lo que hace), debe saber dibujar (para plasmar fielmente sus ideas), tiene que dominar la geometría y la aritmética (o sea, las matemáticas, para controlar las dimensiones y las proporciones), estudiar óptica (porque la forma de la arquitectura se sustancia en sus imágenes), también ha de conocer la filosofía (para ser razonable en las decisiones que adopte), y el derecho (para que sus obras sean adecuadas a las normas que le afectan). Aún añade otros conocimientos que debe poseer el arquitecto, como la música (puesto que los edificios tienen que responder a cuestiones acústicas y ser armónicos y proporcionados), la medicina (porque el confort y la salud de los ocupantes están en gran medida condicionados por las condiciones higiénicas y sanitarias de los edificios), y la astronomía (para poder orientar bien sus obras de acuerdo con el soleamiento idóneo para cada actividad)… En realidad, Vitruvio se está refiriendo al cometido profesional de los arquitectos romanos de su época que, además de construir edificios y planificar las ciudades, eran también los responsables de la construcción de máquinas, de ingenios militares y de relojes de sol.

Por eso lo primero que tendríamos que aclarar es: ¿el cometido profesional de los arquitectos actuales es el mismo que entonces? Porque, para poder establecer *qué es lo que debe saber hoy en día el arquitecto* (**cuál es el conocimiento que debe poseer**) tendremos que acotar *qué es lo que se espera de su trabajo en la actualidad*. Parece evidente que la práctica de la arquitectura, lo que se espera del trabajo profesional del arquitecto, *depende de las condiciones concretas de cada época* y éstas han ido cambiando sustancialmente a lo largo del tiempo. El arquitecto moderno tiene poco que ver, desde el punto de vista profesional, con el arquitecto romano de hace XX siglos. Sin embargo, la arquitectura aún conserva muchos rasgos comunes con la idea que postulaba Vitruvio. Aflora así una aparente paradoja porque para hacer *algo* (la arquitectura), que ha permanecido en cierta medida constante desde hace XX siglos, sin embargo, debemos basarnos en unos conocimientos que han sufrido profundos cambios.

No pretendo ahora desarrollar estas cuestiones, sino hacer una primera aproximación a esas *bases y conocimientos* que necesita el arquitecto actual. Dos grandes apartados aparecen en este sentido:

    1.- Los **conocimientos** que debe tener el arquitecto actual. **El** *pensar* (la *teoría* según dice Vitruvio).

2.- Las **estrategias o modos de aplicación** de esos conocimientos a su ejercicio profesional: la puesta en práctica de esos conocimientos. **El *saber hacer*** (lo que Vitruvic denomina la *práctica*).

1.- En relación con el primer apartado, de un modo genérico, *lo que necesitamos saber* para que nuestras actividades como arquitectos sean las adecuadas, tal como ahora se practica esta profesión en nuestro entorno social y cultural, incluye: aspectos teóricos, estratégicos, metodológicos y valorativo-críticos. Los aspectos teóricos y, en cierta medida, los metodológicos se basan en el **conocimiento racional**. Los aspectos estratégicos entran, sobre todo, dentro de lo que podemos llamar el **conocimiento histórico** en sentido amplio, es decir, el conocimiento de las condiciones culturales, sociales y las expectativas que afectan a la práctica actual de la arquitectura en un entorno preciso, entendida como interacción social y comunicativa, que juega un papel concreto en nuestra actual sociedad fruto de su devenir. Estos dos tipos de conocimientos constituyen *las bases* de la formación que se os imparte a lo largo de vuestra permanencia en la universidad. Los aspectos valorativo-críticos, que constituyen la base del **conocimiento sensible** es lo que cada uno tiene que aportar a su propia formación mediante el uso, la vivencia, la reflexión crítica y la autoevaluación de los propios proyectos y obras. Por lo tanto, junto a la *formación* que se os imparte (conocimiento racional y conocimiento histórico) se precisa, también, la *autoformación* que cada uno va elaborando mediante sus experiencias, las cuales van configurando, en cada cual, su propio canon, su gusto, sus preferencias y tendencias, su personal modo de hacer (conocimiento sensible).

Estos tres tipos de conocimientos (**racional, histórico** y **sensible**) tienen un carácter general, es decir, son previos y necesarios, y nos sirven como sustrato y punto de partida cada vez que nos planteamos un problema arquitectónico concreto. Forman la base común, el fondo, sobre el que se apoya y surge cualquier proyecto u obra con el que nos enfrentemos.

2.- En relación con el segundo apartado (el *saber hacer*), se trata de trasladar esos conocimientos genéricos a las posibilidades concretas y las condiciones en las que se va a implantar cada uno de nuestros proyectos y obras. Son conocimientos que aluden al *cómo*. Por un lado, se trata de fijar las pautas que seguimos para hacer arquitectura que son siempre semejantes cualquiera que sea el proyecto que tenemos entre las manos. Y, por otro lado, se refiere a las cuestiones concretas que dependen del proyecto o la obra singular en la que estamos implicados en cada caso.

Estos últimos incluyen, entre otros, los usos específicos a los que se va a destinar el edificio (viviendas, oficinas, escuelas, hospitales...), que se realizan de acuerdo con normas, costumbres y modos de vida determinados por las características de los usuarios y por las coordenadas del contexto cultural, económico y productivo concreto donde la obra se implanta. Hay que evitar, por ejemplo, plantear soluciones basadas en materiales o sistemas constructivos que no existen o que no sabemos cómo se pueden manipular porque carecemos del conocimiento, la habilidad o la práctica necesarios; o que ignoremos los requisitos legales y urbanísticos de lo que se puede hacer; o que desconozcamos qué necesidades (de espacio, iluminación, privacidad, capacidad, etc.) demandan las actividades que el edificio va a acoger, y otras cosas semejantes. En definitiva, se trata de que nuestros proyectos no sean *fantasías* irrealizables y utópicas que no son viables, sino *invenciones creativas* que satisfacen y enriquecen la realidad y el medio social y cultural donde se levantan.

2.1.- Las bases teóricas

El ser humano utiliza distintas maneras de elaboración de conocimiento para obtener las respuestas adecuadas ante las situaciones que surgen en la realidad que le envuelve. De un modo relevante, utiliza el pensamiento racional. Es decir, busca encontrar las pautas que encadenan unos hechos con otros, que explican las relaciones de *causas* y *efectos,* lo que nos permite prever y programar, a partir de las causas, los efectos deseados. Y esas leyes se rigen por la lógica, la deducción y la inducción: o sea, por la ciencia hija de la racionalidad que nos suministra un cierto conocimiento del comportamiento de la naturaleza, lo que nos sirve para manipularla y someterla a nuestros propios intereses y objetivos. Éste es el ámbito de las llamadas *ciencias puras o exactas*. Pero en su interacción con otros hombres, en las empresas comunes, en sus relaciones sociales, los hombres intentan establecer lazos, compartir metas, colaborar de manera solidaria, cuestiones éstas que son el objeto de las llamadas *ciencias humanas*.

La arquitectura es un *objeto físico* que se rige por las leyes que nos descubre la ciencia, pero es, también, un *hecho social* vinculándose así con esos lazos y relaciones comunes, solidarios, y compartidos. Cada una de estas caras de la arquitectura reclama un *tipo de saber* diferente que el arquitecto debe conjugar de manera unitaria al realizar su trabajo.

Si las *ciencias puras* basan su conocimiento en la lógica y la causalidad, las *ciencias humanas o sociales*, presuponen un tipo de conocimiento que no se sustenta *exclusivamente* en esa racionalidad científica, aunque la incluye, sino que apunta en una dirección distinta. La estructura social, las relaciones humanas establecidas mediante los lenguajes, la interacción entre grupos e individuos, están en gran medida marcadas por *la voluntad* y *la libertad* de los que intervienen. Frente a la racionalidad científica podríamos decir que, en estos aspectos, que incumben a las ciencias humanas, está, también, lo que podríamos llamar una *racionalidad imperfecta* en el sentido de que las relaciones lógicas de causas y efectos no son totalmente determinantes para predecir el resultado porque la conducta humana, estableciendo estrategias y modos de actuación, puede intervenir en el rumbo de los acontecimientos marcando fines y objetivos. El conocimiento de este tipo es lo que he llamado *conocimiento histórico* que implica no sólo la delimitación de los hechos sino, sobre todo, su *interpretación,* que es lo que nos puede dar *el sentido*, las razones o las metas que están detrás de esas interacciones humanas, más allá de la estricta racionalidad científica, la cual, por sí sola, no es capaz de demostrar. Estaríamos dentro de lo que se llama la *hermenéutica*, o sea, el tipo de conocimiento que busca una *explicación interpretativa* de las cosas que atañen a las relaciones humanas.

Pero aún hay un tercer modo de conocimiento que el hombre utiliza. La realidad física (por la que se interesa el *conocimiento racional*) y el medio social (que es el ámbito específico del *conocimiento histórico o hermenéutico*) son situaciones y hechos que despiertan nuestros sentimientos, que nos satisfacen o nos turban, que nos gustan o nos disgustan, ante los que reaccionamos con todo tipo de *respuestas emotivas*. Los sentimientos son respuestas espontáneas de aceptación o rechazo ante una situación, las cuales surgen antes incluso de racionalizarlas. Es un conocimiento instintivo e inmediato que refleja un convencimiento profundo, una certeza. La arquitectura provoca este tipo de reacciones en los que la usan y la contemplan y, en consecuencia, el arquitecto debe ser capaz de controlarlas y preverlas de algún modo. O sea, el arquitecto debe ir formando su propia sensibilidad mediante la reflexión, la crítica y el análisis para delimitar, con ciertas garantías, las reacciones que su obra va a provocar en los demás, adecuándola a los fines y objetivos pretendidos. Es decir, debe acumular, también, además del conocimiento científico pertinente y del conocimiento histórico, este tipo de *conocimiento sensible*, el cual conforma su propio sistema de evaluación y juicio y le aporta pautas de actuación en la dirección deseada.

2.1.1.- El conocimiento racional: conceptualización, abstracción, orden

Hay toda una serie de ciencias que tienen una aplicación directa en la arquitectura y que el arquitecto debe conocer. Esto no significa que deba ser un *científico* puro, sino que debe ser capaz de manipular con soltura los conceptos y procedimientos propios de esas ciencias para aplicarlos eficazmente a su trabajo. En primer lugar, debemos saber qué aspectos del problema son susceptibles de solucionarse mediante lo que se puede asimilar a un conocimiento técnico-científico: matemáticas, materiales, física, construcción... El arquitecto tiene algo de matemático, de físico y de experimentador, porque en cierta medida su trabajo se solapa, en algunos aspectos, con el de todos ellos, y, sobre todo, porque las bases teóricas en las que asienta su propia actividad (el *pensar*) se nutren de esas teorías y esos modos de hacer. Pero hay algo que resulta diferente en el arquitecto respecto a ellos: para él esas teorías tienen como *finalidad* la *obra de arquitectura* y se justifican en la medida que garantizan el resultado arquitectónico más óptimo posible en cada ocasión. No hay una metodología científica general, previa e invariable que sirva para ser linealmente aplicada de forma uniforme a la práctica arquitectónica como ocurre en las ciencias puras, sino que, por el contrario, es la obra concreta, *la práctica*, el hacer, lo que induce y establece los aspectos concretos de las teorías científicas pertinentes en cada caso. La arquitectura es una técnica y buscará la eficacia del resultado estableciendo las bases teóricas que puedan ser útiles en cada ocasión.

Uno de los mayores arquitectos modernos, Le Corbusier (2001, p. 66), dirigiéndose al estudiante de arquitectura, escribía: "No se imagine que aprenderá construcción por medio de las matemáticas. Es un engaño empleado por las academias para dominarle. Sin embargo, deberá aprender una cierta cantidad de estática. Esto es fácil. No crea que necesita saber exactamente cómo llegan los matemáticos a la resistencia y sus fórmulas. Con un poco de práctica comprenderá el mecanismo del cálculo. Pero sobre todo recuerde cómo trabajan las distintas partes de una estructura. Asegúrese de entender los momentos de inercia. Una vez que los entienda, usted quedará libre para hacer cualquier cosa. Todo esto es muy claro: deje las matemáticas superiores a los matemáticos". El arquitecto tiene que conocer y dominar las matemáticas y la estática que le son necesarias para su trabajo: cálculo, geometría, etc. Pero el arquitecto no es un matemático porque su objetivo es la arquitectura y, por lo tanto, las matemáticas le interesan en la medida que son un medio útil para resolver cuestiones arquitectónicas. Y lo mismo se podría decir de la física, la química, la biología, la geología, la ergonomía, la informática...

FIG. 12: Burnham & Root: Reliance Building (Chicago, 1890). *En construcción*.

Por su parte, Antonio Ponz, un ilustrado valenciano del s. XVIII, en uno de sus libros (*Viage de España*, IV) (1972, p. 12), tras enumerar los conocimientos que debe poseer el arquitecto, añade: "Esto no es decir que los Arquitectos deban poseer los tales conocimientos, ni perfeccionarse en las cosas que se han dicho como el que particularmente las profesa: les basta tener una competente noticia de ellas". En definitiva, ha de conocer las ciencias, pero no como el que se dedica profesionalmente a ellas. Pero, sobre todo, ha de dominar las aplicaciones científicas que le permiten controlar y resolver algunos aspectos sustanciales de la arquitectura, desde la estabilidad y la durabilidad de las estructuras a la acústica de los edificios o el control climático de los espacios, por citar sólo unos pocos ejemplos donde estas aplicaciones científicas son más directas y evidentes.

Pero hay algo más que nos resulta fundamental del pensamiento racional. La racionalidad científica elabora el conocimiento a partir de la experimentación de casos concretos buscando, mediante la lógica inductiva y deductiva, leyes generales aplicables a todas las situaciones semejantes. Y para ello utiliza la capacidad humana de la abstracción, es decir, la capacidad de encontrar conceptos generales susceptibles de aplicarse a todos y cada uno de los casos concretos. Ideas como *fuerza, vector, velocidad, gravedad, elemento químico,* etc., son algunos de estos conceptos generales. Gracias a esa capacidad de abstracción para enunciar conceptos generales, el hombre puede clasificarlos y ordenarlos, establecer relaciones entre ellos, encontrar pautas que se repiten y vínculos de causas y efectos, deducir demostraciones y prever comportamientos de la realidad física. Por ejemplo, en nuestro caso, el comportamiento estable de una estructura. El pensamiento racional, que es la base del conocimiento científico, es algo así como un *programa informático* que tiene la mente humana para interactuar eficazmente y con garantías de éxito con la realidad que le envuelve. Por eso, cuando aprendemos a razonar siguiendo las pautas que nos marcan las ciencias (matemáticas, física, mecánica…) no sólo estamos adquiriendo unos conocimientos que nos van a ser directamente útiles y aplicables en la resolución de muchos aspectos de la arquitectura, sino que también **estamos habituándonos a un modo de pensar, de afrontar los problemas,** basado en la abstracción conceptual, la clasificación, la ordenación sistemática, las relaciones causales, la lógica, la inducción y la deducción. Esta capacidad de abordar la solución de problemas (no sólo arquitectónicos) de un modo racional y ordenado, objetivo y sistemático, es uno de los principales bagajes que nos proporciona el conocimiento teórico, científico y racional. Algo que el arquitecto no debe olvidar nunca. Abstraer ideas y conceptos generales, por un lado, sistematizarlos, ordenarlos y vincularlos lógicamente mediante relaciones y leyes, por el otro, son *modos de pensar* que resultan imprescindibles en nuestra profesión.

En resumen, el conocimiento racional nos crea unos *hábitos de pensamiento* y *unos modos sistemáticos* de trabajo que resultan esenciales para hacer arquitectura, la cual tiene tal complejidad que sólo así se puede controlar. Además, muchos de los aspectos concretos de la arquitectura (desde la estabilidad, la durabilidad, la sostenibilidad o la comodidad) no pueden dejarse al azar o la intuición sino que reclaman una solución ajustada y precisa que sólo las ciencias nos pueden suministrar.

2.1.2.- El conocimiento histórico: teoría e historia del pensamiento y las obras

Pero ya he dicho que la arquitectura no es sólo un objeto físico sometido a las leyes científicas que explican el comportamiento de la naturaleza. La arquitectura es, sobre todo, un hecho social, acoge la vida de los hombres y de los grupos humanos, sirve para sus actividades y satisface sus necesidades, sus gustos, sus expectativas, sus ilusiones. Y esas relaciones sociales, esas necesidades, esas actividades y expectativas, cambian de unas sociedades a otras, de unos lugares a otros, de unos momentos históricos a otros, porque dependen de sus intenciones, sus metas y su voluntad. Para entender lo que ahora ocurre, el medio social concreto donde se implantan nuestras obras, y poder actuar en consecuencia, necesitamos tener una visión de conjunto capaz de situarnos en el propio contexto y encontrar *el significado de nuestro trabajo* y la forma en que se inserta en esos objetivos sociales compartidos.

El conocimiento histórico al que me refiero no es como una película donde los hechos se desarrollan linealmente ante nuestra mirada pasiva. No se trata de adquirir erudición o de acumular información como almacenamos libros en una estantería. La historia es la memoria, o mejor, *el significado y el sentido que le damos a la memoria* y que conforma nuestra propia identidad, *lo que somos ahora*. Y desde este trampolín nos proyecta al futuro, a *lo que queremos ser*. Sin historia, sin memoria, no hay identidad posible, sólo amnesia, desconocimiento, desorientación de dónde estamos y qué somos. Y, en consecuencia, incapacidad de saber lo que realmente queremos y hacia dónde vamos. Por eso, conocer lo que ha ocurrido y el por qué ha ocurrido así, encontrar una explicación a los hechos y no sólo saber cuál ha sido su sucesión temporal, es el mejor modo de conocernos a nosotros mismos. No sólo como personas, sino también como arquitectos. Conocer lo que ha ocurrido en el *pensamiento arquitectónico*, en las sucesivas teorías que han orientado ese pensamiento, conocer *las obras de arquitectura* que han sido hitos destacables a lo largo del tiempo, indagar las causas de los aciertos y de los fracasos, desentrañar los problemas que abordaban y pretendían resolver, descubrir por qué algunos proyectos no llegaron a ser realidad, saber los motivos que están detrás de los cambios sufridos por las ideas y las propuestas en el transcurso de su ejecución y a lo largo de su devenir histórico es conocernos mejor a nosotros mismos como arquitectos porque nos permite *ir formándonos* en nuestros valores, criterios y juicios. Es ser conscientes de lo que se puede hacer y cómo abordarlo, de las metas que están a nuestro alcance y de lo que sólo son peligrosas elucubraciones escapistas.

Pero para que este conocimiento no sea ni un simple conocimiento erudito inútil, ni un lastre que, admirados ante la grandeza de las obras del pasado, bloquee nuestra capacidad de actuación, sino una levadura estimulante y enriquecedora de nuestra labor, debemos adoptar una postura activa frente a lo ocurrido y no una actitud pasiva. Ante los problemas que, como arquitectos, nos preocupan, el conocimiento de lo ocurrido se vuelve elocuente porque nos aporta una información valiosa para encontrar respuestas. No se trata de *copiar* soluciones ni de *repetir* obras o lenguajes formales. Las obras existentes no son un repertorio de modelos ya preparados, disponibles para ser utilizados por cualquiera. Se trata, por el contrario, de preguntar a la historia, de indagar los enfoques que se dieron ante problemas similares, de analizar por qué se afrontaron de ese modo, de comprobar hasta qué punto las soluciones fueron pertinentes, de entender por qué lograron hacerse realidad o por qué fracasaron, de conocer los reajustes, modificaciones o cambios que sufrieron en su tránsito desde las ideas y proyectos a las obras. No se puede entender la historia como un catálogo de valores incuestionables fijados para siempre, sino como un relato de utopías, de búsquedas, de intereses enfrentados, de fracasos, de frustraciones, de logros parciales, de destellos inesperados. Como señala el arquitecto italiano Vittorio Gregotti, la historia es el inevitable pasillo que tenemos que recorrer, necesariamente, si queremos llegar a nuestra meta, pero el pasillo no nos enseña a andar.

En realidad, la interpretación histórica de la arquitectura que hoy hacemos nosotros nos habla siempre no tanto de un tiempo pasado más o menos reciente sino de los problemas que ahora tenemos planteados y que nos preocupan, de nuestras propias inquietudes que buscan vías de comprensión en el espejo del pasado. Por eso el conocimiento histórico se convierte en el sustrato donde maduran y fermentan nuestros propios anhelos y valores, y nos orienta sobre las posibles soluciones a los problemas del mundo actual que es el heredero del anterior que la historia nos abre. Quien desconoce la historia está condenado a repetir sus errores. También en el ámbito de la creación arquitectónica.

2.1.3.- El conocimiento sensible: uso, vivencia, disfrute. El análisis crítico

El conocimiento sensible, entendido como el cúmulo de nuestras experiencias y vivencias que van conformando nuestros gustos, criterios y juicios, es el sustrato que hace posible el salto creativo preparado por el conocimiento racional y el conocimiento histórico. Repito de nuevo la importancia de esta *autoformación* que cada uno debe ir creándose, a lo largo de su vida estudiantil y profesional, como algo sustancial y básico para su propio trabajo. En el cruce entre la racionalidad y el conocimiento histórico, por un lado, y nuestro propio sistema de valores por el otro, es donde puede surgir la verdadera arquitectura, la auténtica originalidad. En este sentido, la atención constante ante las obras y espacios con los que convivimos cada día, intentando reaccionar emotivamente frente ellos (aceptación o rechazo), pero indagando y racionalizando las posibles causas que provocan esos sentimientos, y el ir fijando de algún modo nuestra experiencia, es la manera más eficaz de elaborar y ampliar este conocimiento sensible. En definitiva, se trata de ir educando nuestra propia sensibilidad como arquitectos. De ir creando nuestra personalidad profesional.

FIG. 13-15: Peter Zumthor: Capilla del hermano Klaus (2007). *Vistas exterior e interiores.*

El *análisis crítico*, es decir, la racionalización de las reacciones que nos provocan las obras de arquitectura haciendo conscientes las razones que están detrás de nuestras reacciones de disfrute o disgusto ante ellas, siendo capaces de detectar los aspectos concretos que las desencadenan, es la clave de elaboración de este tipo de conocimiento sensible. Un *análisis crítico* que se proyecta no sólo sobre la arquitectura que conocemos, visitamos o usamos, sino particularmente, sobre aquella que es el fruto de nuestro propio trabajo.

En este sentido, todo tipo de prácticas que se realizan a lo largo de los años de formación tienen un doble fin: por un lado, se trata de ir creando, poniendo a punto y controlando vuestras propias estrategias y *modos de actuar* frente a un problema arquitectónico concreto. O sea, aprender el *oficio de arquitecto* a través de la práctica que es el mejor modo de adquirir la habilidad necesaria. Pero, por el otro, deben serviros como un *test* para entender hasta qué punto os habéis acercado a lo que buscabais. Las correcciones y comentarios a esas prácticas que hacen los profesores y tutores tienen como finalidad aportar unos primeros puntos de arranque que os orienten en cómo empezar a construiros vuestra propia opinión, qué aspectos son relevantes en cada caso, dónde hay situaciones susceptibles de servir como hitos de referencia útiles para las cuestiones que os preocupan, qué caminos pueden ser ricos en posibilidades y cuáles no, o qué modelos de comparación os pueden ayudar a entender mejor los aciertos o errores de las soluciones que planteéis.

2.2.- Las bases de la actividad (la *poiesis*): el *saber cómo*

Hablando sobre las bases teóricas generales, los tipos de conocimientos, que son el soporte de la labor del arquitecto y que es necesario dominar para poder ejercer esta profesión, he terminado hablando de las prácticas que son una fuente esencial para crearnos nuestros propios sistemas de evaluación, los cuales constituyen lo que he denominado el *conocimiento sensible*. La *puesta en práctica,* el *hacer arquitectura* no es otra cosa que adquirir la capacidad de trasladar esos conocimientos generales a la resolución de una situación concreta: un proyecto, una obra, un plan urbano. Y este trasvase, desde las teorías a su aplicación en cada caso, se lleva a cabo a través de unas *estrategias*, unas *habilidades* y unos *modos de hacer* que tienen también unos rasgos generales que se concretarán en cada uno de los proyectos con los que nos enfrentamos. Es el modo con el que vamos configurando, cada uno de nosotros, nuestra particular manera de proyectar y dirigir obras, nuestro estilo personal de trabajar, nuestro oficio. Es, en definitiva, el *paso intermedio* que traslada lo que son conocimientos generales a las respuestas concretas capaces de resolver los proyectos y las obras en los que estamos embargados.

La actividad de *poner en práctica* unos conocimientos para *hacer unos objetos* (en nuestro caso, unos edificios, unas obras u ordenar un territorio) es lo que los griegos denominaban la *poiesis*. Cuando un labrador planta, cuida y poda un frutal, cuando un carpintero construye una mesa, cuando un mecánico monta una máquina, igual que cuando un arquitecto, al frente de un importante número de trabajadores, levanta un edificio, están haciendo una actividad *poiética* en el sentido que le daba la cultura griega. Lo característico de esta forma de actuar es que, como resultado de esa actividad, *al final hay un objeto físico* (un árbol frutal, una mesa, una máquina o un edificio) que adquiere autonomía respecto a su artífice. Y, en consecuencia, al margen de las intenciones que tuviera su autor, es posible comprobar, de manera segura, si ese objeto cumple los fines para los que ha sido hecho: si el árbol da más y mejores frutos, si la mesa se puede utilizar correctamente, si la máquina funciona o si el edificio se puede usar cómodamente. La eficacia de la *puesta en práctica* de esos conocimientos generales se puede, en consecuencia, comprobar, de manera fehaciente, viendo si el objeto hecho alcanza las metas y objetivos para los que se hizo. El análisis crítico y la valoración tienen que centrar su interés, precisamente, en verificar si el objeto realizado sirve, realmente y de un modo evidente, para los fines a los que se le destina.

Hay otro tipo de actividades que no tiene como resultado la realización de ningún objeto concreto. Cuando un corredor (Fernando Alonso o Jorge

Lorenzo, por ejemplo) hace una carrera para ganar un título, o cuando un político da un discurso, o cuando un juez dicta una sentencia, no se sigue la existencia de ningún *objeto* como resultado de sus actos. A diferencia de las actividades *poiéticas*, los griegos llamaban a esta otra clase de actividades *praxis*, las cuales tienen también, sin duda, repercusiones y consecuencias que se reflejan en las conductas e inciden en los protagonistas implicados, pero no dan origen a ninguna cosa física, sino que sus consecuencias posibles son de otra naturaleza: ser un campeón, persuadir a los oyentes de la política defendida, y la absolución o la condena del acusado, en los ejemplos anteriores. Tienen, por lo tanto, derivaciones que inciden sobre la vida de las personas pero la comprobación de si estas acciones son o no adecuadas, no se puede saber viendo si el objeto cumple o no con los fines para los que está hecho, porque no hay ningún objeto como resultado de la acción realizada. En las actividades consideradas como *praxis* sólo se puede verificar si son o no correctas comprobando la aceptación o el rechazo que provocan en las personas implicadas. En realidad, la arquitectura es también una actividad que entra de lleno en esta categoría, que participa también de la *praxis,* porque no basta con que el edificio se ajuste adecuadamente a los usos para los que se construye, sino que también debe ser *aceptado* y asumido por los usuarios incidiendo, así, en sus conductas.

Considerando la arquitectura como una actividad *poiética* de la que se desprende la existencia de un objeto autónomo respecto a su autor (un edificio, un tejido urbano), el cual puede evaluarse en la medida que responde a los requisitos y fines que le son propios, los conocimientos que precisamos para realizar el trabajo y alcanzar el éxito en nuestra empresa son de dos tipos: (1) si hemos planteado bien el problema, o sea, si hemos tomado en consideración todos los aspectos pertinentes en función de los fines que queremos alcanzar; y (2) si el procedimiento seguido para su resolución es el más racional y adecuado para conseguir esos fines. Estas dos cuestiones se refieren al *conocimiento del medio*. Es el modo de trasladar las bases teóricas generales (conocimiento racional, conocimiento histórico y conocimiento sensible) al nivel de la práctica. Significa que tenemos una *estrategia* y un *método* en nuestra forma de actuar como arquitectos, que sabemos cómo buscar la información y los datos que precisamos, que no vamos a ciegas y disponemos de recursos para llevar a cabo todo el proceso que nos conducirá al resultado buscado.

Pero además (3) el arquitecto debe tener una cierta habilidad y saber cómo ponerla en práctica para encontrar la mejor manera de hacer lo que pretende. No basta con saber, de manera teórica, cómo hay que hacer las cosas. No basta, por ejemplo, con saber la receta de cómo se hace una paella, hay que saberla hacer realmente. Además, como la arquitectura no la hace directamente con sus manos el arquitecto sino que es el fruto de la participación de muchos trabajadores (desde el jefe de obra al albañil, los instaladores, etc.), tenemos no sólo que saber cómo se hace lo que proyectamos sino que debemos poder explicárselo correctamente a quienes tienen que realizarlo para evitar errores y malentendidos. Lo que presupone *que dominamos los métodos y lenguajes habituales* que permiten trasladar fielmente a la obra nuestras ideas arquitectónicas, es decir, que dominamos la expresión gráfica, los sistemas de representación, los términos constructivos, los métodos de control y de chequeo, los procesos de ejecución, las pruebas de uso, los estándares de calidad de materiales y unidades de obra… El arquitecto que desconoce cómo se construye lo que proyecta o es incapaz de explicarlo fielmente, y confía en que otros técnicos serán capaces de encontrar los métodos de ejecución adecuados, está poniendo las bases de su fracaso profesional. Y todos estos conocimientos sólo se adquieren con la práctica, con el ensayo y error. Se trata, en definitiva, *de adquirir el oficio*. Algo que no se aprende en las aulas ni se estudia durante una noche en vela antes del examen, sino que va sedimentándose con la acumulación de la propia experiencia siguiendo, en cierta medida, el modo de aprendizaje tradicional: junto a un arquitecto que ejerce de *maestro*, viendo cómo trabaja y captando así su manera de hacer para poder adaptarla a su propia idiosincrasia.

Tal vez con un ejemplo se entienda mejor lo que quiero decir. Si quiero hacer una silla de madera para sentarse y la que hago resulta inestable porque la gente se cae cuando se va a sentar, es evidente que no he conseguido el fin que buscaba y he planteado mal el problema porque la estabilidad y la seguridad son requisitos esenciales en este caso y, por lo tanto, son aspectos que se deben tener en cuenta desde el principio (fallo de 1). Si para hacer la silla pretendo tallarla toda de una pieza con su forma completa de un tronco en vez de preparar cada uno de los distintos elementos que tiene para ensamblarlos después, tal como hacen todos los carpinteros, porque ese es el mejor método de trabajo, está claro que no he elegido bien el camino ni el método más racional y simple (fallo de 2). Si por último desconozco el oficio de carpintero y no adquiero la habilidad necesaria para hacer sillas, casi con toda seguridad, mi esfuerzo va a ser inútil y el resultado será inapropiado (fallo de 3).

Plantear bien el problema implica que dominamos las bases teóricas generales (los conocimientos racional, histórico y sensible, antes comentados), que disponemos de un método, y que tenemos una estrategia para poder aplicarlos en cada caso, pasando de los conocimientos generales a las situaciones particulares. Por ejemplo, no basta con saber matemáticas o conocer el comportamiento de los materiales. Debemos saber, también, cómo se aplican las matemáticas al cálculo de estructuras y cuál es el comportamiento y la resistencia de los diferentes materiales. Pero, además, tendré que conocer las posibilidades plásticas, formales y constructivas de ese material y ser capaz de determinar si ese material estructural es el idóneo para la estructura que quiero hacer o si, por el contrario, hay otros más adecuados que se ajustan mejor a mis ideas. Pero no sólo eso, tendré que conocer también si ese material, que considero idóneo, se fabrica y si es fácilmente accesible en el lugar que voy a implantar mi obra, incluso, si hay trabajadores y obreros expertos en manipularlo correctamente porque controlan las técnicas específicas. Es decir, si existe un medio industrial y técnico capaz de resolver la ejecución de la estructura prevista.

Las estrategias y métodos que trasvasan los conocimientos generales (las *bases teóricas*: conocimiento racional, conocimiento histórico y conocimiento sensible) a cada proyecto u obra concretos, y que nos permiten plantear de manera adecuada y racional el problema, así como encontrar el mejor método para resolverlo teniendo la práctica y la habilidad para aplicarlo, se pueden agrupar, a su vez, en tres apartados: dos de ellos se refieren a *los soportes*: el *medio social* que implica, que dominamos el entorno y las condiciones en los que se ejerce la profesión de arquitecto, así como que somos capaces de obtener la información pertinente; y el *medio técnico* que supone, que conocemos la realidad productiva, técnica y material que hace posible la obra prevista. El tercer apartado alude a que hemos adquirido la habilidad y la práctica necesarias para el ejercicio profesional: que sabemos *el oficio*.

2.2.1.- El conocimiento del medio social

Conocer el medio social supone que tenemos la información adecuada para situar nuestro trabajo en las coordenadas sociales y culturales en las que se implanta. Las competencias profesionales, las normas aplicables, los condicionantes urbanísticos o los estándares funcionales que la obra debe satisfacer, no son iguales aquí que en EE.UU., en China o en Sudáfrica. Pero tampoco las demandas, los gustos y los modos de vida son los mismos. Y, en consecuencia, las expectativas que generan las obras de arquitectura, lo que se espera de ellas, tampoco son idénticas en esos diferentes lugares.

Por lo tanto, para poder *plantear* correctamente el proyecto, para encontrar los datos y la información necesaria y pertinente, debemos controlar todas estas cuestiones. Muchas veces las obviamos, porque nuestro trabajo lo ejercemos en nuestro propio entorno cultural y social, y todo esto queda en cierta manera implícito, dándolo por asumido y supuesto. A pesar de todo, ni siquiera en ese caso, podemos prescindir de elaborar el conocimiento del medio social específico. Resulta muy cómodo y frecuente que, en vez de indagar el contexto social concreto al que se destina nuestro trabajo, nos limitemos a considerarnos a nosotros mismos como los usuarios de referencia. O sea, que proyectemos no para los futuros ocupantes sino para nosotros. Pero lo habitual es que nuestros gustos y necesidades no coincidan con los destinatarios de nuestras obras, que son los que realmente tenemos que satisfacer. Si estamos proyectando una residencia de ancianos, o un hospital, o un parvulario, o un bloque de viviendas para inmigrantes, o un laboratorio, o un estadio deportivo, por citar sólo unos ejemplos, es casi seguro que ni los gustos, ni las necesidades, ni las expectativas de los usuarios de esos edificios coincidirán con los nuestros. Por lo tanto, si nos tomamos a nosotros mismos como referencia de los ocupantes, estamos planteando y enfocando mal el proyecto.

La alternativa no es, sin embargo, creernos capacitados para obtener toda esa información, que es necesaria, sustituyendo a psicólogos, sociólogos, ergónomos, médicos, geriatras, pedagogos, abogados... porque nuestra formación y nuestros conocimientos no nos capacitan para suplantarlos de una manera mínimamente adecuada y, en consecuencia, nuestra propia aportación en esos ámbitos, en donde somos legos, será superficial y banal. Se trata, por utilizar el ejemplo anterior, de saber dónde puedo encontrar la receta de la paella

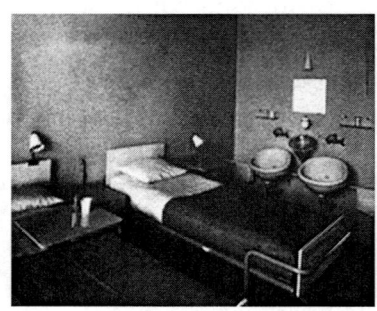

FIG. 16: Alvar Aalto: Sanatorio de Paimio (1929). *Habitación proyectada para el confort del enfermo.*

sin pretender inventármela ni dispersarme y perderme buscándola en un libro de cocina holandesa en vez de preguntársela a un cocinero valenciano.

La primera estrategia que debemos adquirir es, por lo tanto, encontrar *un método para plantear bien el problema buscando la información y el conocimiento pertinente* sobre el contexto social y cultural al que va dirigida nuestra obra, así como sobre las condiciones y necesidades concretas que debe satisfacer. *Elaborar este conocimiento pertinente del medio social y sus necesidades,* sin caer en una búsqueda de informaciones superfluas ajenas al proyecto, y sin pretender sustituir a los especialistas correspondientes que son los que pueden suministrarnos los datos que necesitamos, es la forma de plantear racionalmente el proyecto y, por lo tanto, lo que abre la posibilidad de encontrar una solución correcta. En alguna medida esta estrategia es la que permite el trasvase desde lo que he llamado el *conocimiento histórico* de carácter general a las condiciones específicas de cada uno de los proyectos y obras con los que nos enfrentamos.

2.2.2.- El conocimiento de los soportes técnicos y materiales

A lo largo de su formación como arquitecto el alumno recibe toda una serie de conocimientos técnicos que constituyen su bagaje en ese campo, el cual es siempre susceptible de ir ampliándose y completándose. Estos conocimientos técnicos se podrían agrupar, fundamentalmente, en dos categorías: las técnicas específicas de su actividad (lo que se engloba en las áreas de conocimiento de *construcción* y que se apoyan, a su vez, en las ciencias matemáticas y físicas); y las técnicas específicas de la representación (lo que corresponde a las áreas de conocimiento del dibujo o de la *expresión gráfica arquitectónica*). Las primeras le capacitan para poder materializar sus ideas arquitectónicas haciéndolas factibles y viables. Las segundas, gracias al uso de unas convenciones o lenguajes objetivos y, en gran medida unívocos, le habilitan para poder concretar esas ideas y explicarlas de manera segura, sin errores ni malentendidos, a los que tienen que materializarlas.

Todas estas técnicas que se deducen, en definitiva, de conocimientos racionales y científicos (cálculo, física, química, estática, geometría…), encuentran su aplicación en distintos aspectos y fases del proceso de invención y creación de la arquitectura. Por lo tanto, el papel que juega el *conocimiento de los soportes técnicos* es trasvasar esos conocimientos generales al proyecto y la obra que tenemos entre las manos. Y para eso el arquitecto tiene que decidir, del modo más eficaz posible, cuáles de entre todas las técnicas constructivas, materiales y sistemas gráficos, que conoce de forma general, son los más adecuados en ese caso específico. En el ámbito de la representación supone elegir los sistemas gráficos, las escalas, los tipos de imágenes, etc. que aporten la información pertinente (ya sea su definición formal, o los detalles de los procesos de ejecución y ensamblaje, o las cualidades de los materiales, o la imagen visual…), en función del destino que va a tener su dibujo, así como el aspecto concreto que pretende transmitir. Si, por ejemplo, quiero dar la solución de las carpinterías y lo que le paso al carpintero para que las haga es un alzado general de sombras a escala 1:100, difícilmente el resultado será el esperado, porque el carpintero no podrá interpretar mi idea a partir de esa documentación que le he suministrado.

En relación con las técnicas constructivas, la cuestión tiene unos matices diferentes. No basta con conocer las técnicas y materiales teóricamente disponibles, ni saber cómo se manipulan y cómo insertan en la obra, ni elegir entre todas las que conozco las más adecuadas al proyecto específico que estoy solucionando. Tendremos que conocer también si esos materiales se fabrican, si están disponibles en el lugar donde va a levantarse la obra, si esas técnicas las conocen los que tienen que aplicarlas, y si existen los medios y equipamientos necesarios para su ejecución. En definitiva, si las ideas son compatibles con el soporte industrial y productivo del lugar donde tienen que materializarse. Si, por ejemplo, pretendo hacer un edificio prefabricado pero no hay ninguna industria de prefabricación capaz de realizarlo, estaré planteando una solución ficticia y falsa, aunque sepa cómo se podría construir. En este caso no habré elegido el mejor camino para resolver la obra.

FIGS. 17-18: Félix Candela: Paraguas experimental (México DF, 1952). *Estructura de hormigón armado en ejecución y prueba de carga.*

Más aún, tendré que saber también si las soluciones técnicas y constructivas que propongo en mi proyecto, aunque sean técnicamente posibles en el lugar de implantación, son igualmente compatibles con los presupuestos y gastos previstos. Con excesiva frecuencia las ideas son inviables, no porque sean constructivamente irrealizables, sino porque no encajan en las disponibilidades concretas ni en los gastos programados. En estos casos, hay un grave *error de estrategia* que pone de manifiesto un desconocimiento de los soportes técnicos y materiales que son compatibles con los medios accesibles, lo que conduce inevitablemente al fracaso.

Conviene diferenciar entre lo que son prácticas, proyectos y ejercicios académicos o experimentales (que no tiene por finalidad la construcción de una obra de arquitectura sino la adquisición de habilidades, la puesta a punto de nuestros métodos de trabajo, la experimentación de las posibilidades de materiales, de su manipulación y de su ensamblaje), y los trabajos redactados con vocación de convertirse en obras construidas y reales, es decir, los que se hacen en el ejercicio profesional.

En el primer caso estaríamos dentro del ámbito de la práctica necesaria para la propia formación. ***El fin no es construir una obra sino aprender a aplicar unos conocimientos o realizar unos experimentos***. Y, en este sentido, el soporte técnico de referencia en el que nos basamos para el desarrollo de esos ejercicios, puede, en cierta medida, obviar las características de un contexto real, tal como suele ocurrir en los proyectos y prácticas hechos durante la carrera, porque su fin es el aprendizaje, no la construcción efectiva de un edificio. Pero sería insensato adoptar esta misma postura cuando se trata de la práctica profesional destinada a la creación real de la arquitectura. En este caso nunca podemos olvidarnos del conocimiento puntual del medio técnico, productivo y económico, si queremos que nuestro trabajo llegue a buen fin. Confundir los ejercicios de adquisición de habilidades, como los académicos, con los proyectos destinados a ser construidos, es ignorar esa diferencia esencial entre los procesos destinados a ir formándonos (el *pensar*) y el ejercicio profesional (el *hacer*).

FIG. 19: Peter & Alison Smithson: Escuela de Hunstanton (1954). *Bloque de servicios.*

Esto no significa que el soporte material y técnico sea una limitación que coartan la capacidad creativa e inventiva del arquitecto. Porque la creatividad, en este aspecto, no consiste en plantear fantasías que son inviables técnica, económica o materialmente. Por el contrario, la creatividad se manifiesta cuando el arquitecto, siendo plenamente consciente de las posibilidades que el medio técnico y productivo le ofrece, es capaz de tensarlo hasta el límite, planteando propuestas y soluciones imaginativas que, siendo viables y factibles, discurren por caminos que se alejan de lo habitual y lo conocido. Es como una buena jugada de ajedrez que nunca es el resultado de desconocer, saltarse u obviar las reglas del juego, sino de extraer de ellas nuevas posibilidades inéditas.

2.2.3.- El conocimiento del oficio: la habilidad y el dominio de los medios.

En otras épocas, cuando alguien quería ejercer la profesión de arquitecto, debía demostrar que se había formado junto a un profesional en ejercicio que hacía de maestro, pasando junto a él varios años, y superando las etapas sucesivas de aprendiz, ayudante y oficial. De este modo, aprendía el oficio recibiendo los conocimientos, las habilidades y las estrategias necesarios mediante las prácticas reales a pie de obra. Al enfrentarse con la situación real del ejercicio profesional, amparado y orientado por su maestro, el aprendiz iba adquiriendo la capacidad y la seguridad en su trabajo. Ahora, lamentablemente, el *aprendizaje del oficio* no se enseña en la carrera de arquitectura. En la universidad se enseñan los conocimientos generales y se ensayan prácticas académicas, pero el alumno no asume en ningún momento la responsabilidad, tutelada por un maestro, de realizar un proyecto y una obra realmente construida. Es como si en la facultad de medicina, a los alumnos se les enseñase la teoría e hiciesen prácticas con maniquís, y sólo con esta formación obtuvieran el título de médicos sin haber visto nunca un enfermo ni haber seguido su proceso de diagnóstico y terapia.

FIGS. 20-21: Frank Lloyd Wright: *En su taller con sus discípulos, y dirigiendo las obras del museo Guggenheim* (Nueva, York, 1958).

Aunque parezca paradójico, lo cierto es que el conocimiento del oficio, es decir, la adquisición de la habilidad y el dominio de los medios, la puesta a punto de las estrategias concretas que nos capacitan para trasladar esos conocimientos generales recibidos a los requisitos concretos demandados por el medio social y el soporte técnico y material, todo esto, queda fuera de la docencia universitaria y a merced del trabajo que hará el titulado una vez que ha concluido su formación oficial. Esta carencia es un inconveniente grave porque origina una gran frustración en el alumno que, felizmente, sale de la universidad con su título de arquitecto bajo el brazo, creyendo que ya está formado, cuando, en realidad, le queda todavía la importante tarea de encontrar su propio camino profesional que le permita convertir las enseñanzas recibidas en herramientas útiles y aplicables a sus proyectos y obras. El arquitecto recién titulado tiene que afrontar este aprendizaje de su oficio de manera individual, fuera de las aulas, sin maestros que le orienten, bregando con el entramado productivo e industrial agresivo que caracteriza el sector de la construcción en nuestro entorno cultural y social. Conviene ser muy conscientes de esta situación tan negativa para evitar, en lo posible, los graves perjuicios personales y profesionales que acarrea.

Haciendo un resumen general, las bases que sustentan el *pensar* y que canalizan el *hacer arquitectura,* se agrupan en dos grandes apartados:

(1) Las **bases teóricas** sobre las que asienta el arquitecto su actividad profesional, las cuales se apoyan, a su vez, en tres tipos de *conocimientos:*

    1.1.- *El conocimiento racional*, el cual no sólo configura nuestra *manera de pensar* sino que, a través de su concreción en las ciencias, aporta herramientas y métodos directamente aplicables a muchos aspectos del problema arquitectónico.

    1.2.- *El conocimiento histórico,* que nos da las pautas para contextualizar la arquitectura, comprender su significado y entenderla como un hecho con repercusiones sociales y culturales insertado en un medio concreto históricamente determinado.

    1.3.- *El conocimiento sensible,* que se va configurando a través de nuestras vivencias y experiencias, convirtiéndose en el referente personal de los valores que orientan nuestra manera de entender, vivir y disfrutar la arquitectura y, en consecuencia, nuestro modo de pensarla y crearla.

(2) Las formas de *trasvasar esos conocimientos* a las situaciones concretas, a los proyectos y las obras, dando origen a nuestras propias *estrategias de trabajo*, nuestros métodos de plantearnos, abordar y resolver los problemas arquitectónicos con los que nos enfrentamos sirviendo, por lo tanto, de nexo y trasvase *desde los conocimientos generales a los problemas arquitectónicos singulares*. Este tránsito del *pensar* al *hacer* se canaliza mediante unos *métodos,* que cada uno va configurando a lo largo de su formación y de su actividad profesional, estableciendo su particular y personal modo de enfrentarse con su actividad como arquitecto. Surgen así tres tipos de *conocimientos específicos* con sus propias *estrategias* acordes con sus cometidos.

    2.1.- **El** *conocimiento del soporte técnico y material* que concreta el *conocimiento racional y científico* a las condiciones que hacen viable y factible la arquitectura que ideamos.

2.2.- El *conocimiento del medio social* que traslada el *conocimiento histórico* al contexto social, cultural y productivo concreto donde se implantan nuestras obras.

2.3.- El *conocimiento del oficio* que aplica nuestro *conocimiento sensible*, nuestro sistema de valoración, al contexto laboral donde ejercemos nuestra profesión.

FIGS. 22-23: Alejandro de la Sota, Gimnasio del Colegio Maravillas (Madrid, 1962): *En ejecución y terminado.*

FIGS. 24-27: Ludwig Mies van der Rohe, Farnsworth House (Plano, 1950): *Vista general, detalle de estructura, espacio interior, equipamiento.*

3.- EL ENTRAMADO DISCIPLINAR

Hasta ahora he hablado de *qué* es lo que debe saber el arquitecto para hacer bien su trabajo (o sea, qué conocimientos son los pertinentes: las bases), he apuntado *cómo* debe aplicar esos saberes y cuáles son las estrategias que le sirven para controlar, con ciertas garantías de éxito, sus proyectos y obras (es decir, qué procedimientos utiliza en la puesta en práctica de esos conocimientos, o lo que es lo mismo, en el trasvase desde las bases generales a las obras concretas), y he aludido, de una manera genérica, a que la *evaluación y el análisis* de los resultados obtenidos asumen un papel relevante en la medida que le permiten al arquitecto ir ajustando tanto sus conocimientos como sus estrategias para avanzar y mejorar en su ejercicio profesional. Una reflexión crítica que tiene por objeto encontrar criterios racionales susceptibles de aplicarse de manera sistemática y efectiva a las obras, sirviéndole así para orientarle mejor y de forma más segura en su propia actividad.

Ahora bien, si el análisis crítico es fundamental como permanente auto-evaluación que orienta al arquitecto en su trabajo profesional ¿cómo puede hacer ese análisis? ¿Qué aspectos de la arquitectura debe chequear y compro-bar para que el resultado de su evaluación sea realmente positivo y perfec-cione su sistema de valores y juicios? En definitiva, ¿cómo puede saber si su obra es acertada o no? ¿Qué requisitos debe cumplir un edificio para que se le pueda considerar como una *buena obra de arquitectura*?

Al comienzo del apartado anterior he comentado la aparente paradoja de que hoy en día seguimos considerando a la arquitectura de un modo muy similar a lo que pensaban los antiguos romanos, tal como dice Vitruvio, aunque, para hacerla, el arquitecto actual necesita unos conocimientos bastante alejados de lo que, según este autor, necesitaba dominar el arquitecto antiguo. En otras palabras, aunque las condiciones que debe cumplir en la actualidad la arquitectura no son muy distintas de las que establecieron los romanos hace más de XX siglos, su ejecución, sin embargo, reclama otros conocimientos y otras estrategias. Esta paradoja no es tal si tenemos en cuenta que la estructura esencial de la disciplina que llamamos *arquitectura* ha permanecido en gran medida constante a lo largo de todos esos siglos. Y, en consecuencia, las características que la acotan y definen siguen siendo esencialmente las mismas. Por lo que una *buena obra de arquitectura,* tanto entonces como ahora, tendrá que satisfacer esas características básicas aunque utilicemos otros procedimientos para llevarla a cabo.

Vamos, pues, a volver de nuevo a Vitruvio para conocer qué condiciones debía satisfacer la arquitectura y veamos hasta qué punto siguen siendo las mismas en la actualidad y cómo podemos interpretarlas hoy. Según este autor, la arquitectura debe alcanzar tres fines. Tiene que ser útil (que él denomina en latín la *utilitas*), debe ser firme, segura, estable y duradera (que él llama la *firmitas*) y ha de ser bella (la *venustas*, una palabra que deriva de Venus, la diosa de la belleza).

Si lo pensamos un poco, nos damos cuenta de que lo que el tratadista reclamaba para la arquitectura de su tiempo, se refiere, de algún modo, a lo que anteriormente he comentado al hablar:

(1) del *medio social* (la utilidad de la obra para las actividades que debe acoger) relacionado con el *conocimiento histórico,* el cual interpreta la arquitectura como un *hecho social* con repercusiones en la conducta de la gente;

(2) del *soporte técnico y material* (la firmeza) vinculado, fundamentalmente, con la aplicación técnica del *conocimiento racional* y que se refiere a la arquitectura como un objeto físico;

(3) de la satisfacción plena de los usuarios, que no es otra cosa que la *belleza,* y que se enlaza con el *conocimiento sensible* canalizado a través de nuestra *habilidad y nuestro dominio del oficio* capaz de responder a las expectativas previstas.

Estos mismos fines siguen siendo los que debe cumplir la arquitectura actual. Por lo tanto, la comprobación de si los edificios que hacemos alcanzan los objetivos para los que se levantan, si las obras responden de la manera más eficaz, racional y simple a su condición de ser un objeto físico y material, así como a su cualidad de ser un hecho social, si nuestras propuestas colman las demandas de los usuarios, estos tres aspectos siguen siendo las claves que nos permiten hacer esa evaluación y ese análisis crítico para determinar su calidad y su bondad.

En consecuencia, la valoración de las obras se orientará, prioritariamente, en esa triple dirección: la utilidad, la firmeza y la satisfacción. La arquitectura debe ser útil para las actividades que acoge, tiene que ser duradera y estable, y debe responder satisfactoriamente a lo que de ella se espera. Las explicaciones y las críticas de la arquitectura que se centran en los objetivos que busca el arquitecto, en sus anhelos y sentimientos personales, en los intereses o ideas que han guiado su invención, en los fines propagandísticos o económicos de los promotores, en el éxito mediático o en la popularidad de las obras, y cosas semejantes, son ajenas a estos fines y, en consecuencia, pueden servir para tener un mejor conocimiento del *contexto* en el que surge y que arropa a la arquitectura, pero poco o nada pueden aportarnos para su juicio y su valoración. Las buenas intenciones que tenga el autor al enfrentarse a un proyecto, o la popularidad que consiga un edificio muchas veces propiciada por intereses puramente propagandísticos, no son criterios válidos de juicio ni nos sirven para saber si realmente esas obras son buena o mala arquitectura, porque no nos dicen nada de su calidad. El arquitecto Le Corbusier (2001, p. 50), dirigiéndose a los estudiantes de arquitectura, expresaba estas ideas de un modo muy elocuente y sintético. Escribía: "Evidentemente estoy hablando del tema que nos interesa: la arquitectura. ¡Fuera de ella bien podéis «hacer negocios» y «triunfar»!".

3.1.- La arquitectura como *producción social*: uso, actividad, función, confort (la *utilitas*)

Vamos a empezar por los criterios de valoración de la arquitectura como *producción social* que, en cierta medida, se solapa con la idea vitruviana de la *utilitas*: la utilidad. Todos los edificios se destinan a unos usos y sirven para satisfacer unas necesidades de quienes los ocupan. Podemos pensar que las carencias que provocan estas necesidades son básicamente de dos tipos: unas que se podrían considerar primarias o de supervivencia, tales como el hambre que provoca la necesidad de comer, la sed que se sacia bebiendo, el sueño que nos hace dormir, el cansancio, etc.; y otras que tendrían un origen social o cultural, como la necesidad de relacionarnos, de afecto, de comunicación, de adquisición de conocimiento y cosas semejantes. En realidad, esta diferenciación es, en gran medida, convencional, porque todas las necesidades humanas sólo aparecen como manifestaciones *conscientes* de alguna carencia, ya sea biológica, sentimental, mental, cultural o social, y en consecuencia, todas ellas nos impulsan por igual a buscar su satisfacción. Por lo tanto, la arquitectura debe crear el lugar apropiado para que, cuando una necesidad del tipo que sea se manifiesta, pueda ser satisfecha fácil y cómodamente, aportando las condiciones ambientales adecuadas a cada demanda, tales como el espacio suficiente, la iluminación necesaria, el entorno propicio, el aislamiento, la seguridad, la privacidad, etc.

Para conseguir la satisfacción de nuestras necesidades hacemos toda una serie de actividades: comemos, bebemos, dormimos, descansamos, conversamos, nos reunimos, estudiamos, nos divertimos y otras similares. Aunque todas *las necesidades* afectan a todos los hombres por igual y, por lo tanto, en todos los casos cada una de ellas reclama unas *condiciones básicas semejantes*, sin embargo, *las actividades* específicas que hacemos unos u otros para satisfacerlas son bastante *distintas entre sí*. Por ejemplo, todos los hombres tenemos la necesidad de comer para saciar el hambre, pero para hacerlo nosotros utilizamos cubiertos y los chinos emplean palillos; todos necesitamos dormir, pero nosotros usamos camas y los japoneses tatamis. Cuando viajamos por países del centro o del norte de Europa a nosotros nos sorprende que no suela haber persianas en las ventanas, algo que, para nosotros, es esencial porque la posibilidad de oscurecer la habitación nos resulta imprescindible para dormir. Y, sin embargo, este requisito parece que no es tan esencial en el caso de esos países. Esto pone en evidencia la relevancia de la cultura en el *tipo de actividades distintas* que hacemos para satisfacer *necesidades idénticas*.

FIG. 28: Adolf Loos: Casa Müller (Praga, 1930). *Sala de estar*.

FIG. 29: Kenzo Tange: Casa propia (Tokio, 1952-53). *Sala de estar*.

Esas actividades, diferentes en cada caso aunque estén orientadas a satisfacer las mismas necesidades, van conformando nuestros hábitos, nuestra manera de actuar, nuestra conducta, incluso nuestras costumbres y manías. En definitiva, en su conjunto, definen el modo de vida que nos caracteriza y que nos asigna un específico papel social que asumimos en el entorno donde nos movemos. De hecho, adoptamos diferentes roles dependiendo del medio en el que estamos: nuestra forma de comportarnos en la familia es diferente de la que tenemos entre la pandilla de amigos, en la universidad o en la discoteca. Con frecuencia, cuando vemos actuar a algún conocido en un medio diferente al que estamos acostumbrados a encontrarlo, nos sorprende porque no reconocemos su conducta con la que habitualmente lo vemos. Muchos padres se extrañan ante la forma de actuar de sus hijos si, por ejemplo, los descubren en medio de un botellón, algo que, como bien sabéis, los hijos pretenden evitar a toda costa porque intuyen que su conducta en esa situación no será bien acogida por sus padres.

Lo que todo esto deja en evidencia es que, aunque los requisitos que reclaman nuestras necesidades suelen ser los mismos en todas las culturas, las actividades vinculadas a ellas no lo son en absoluto. Pero no solamente eso. Incluso en un entorno cultural específico que establece unas pautas de actuación similares, la conducta concreta de cada individuo aporta matices diferenciadores que responden a sus hábitos, a su idiosincrasia, a su carácter y al papel que tiene asignado en el medio social en el que se desenvuelve.

FIG. 30: Charles & Ray Eames: Casa propia (Pacific Polisades, 1945-49). *Los autores en su salón.*

Si la arquitectura ha de servir para crear las condiciones ambientales que permitan realizar cómodamente las actividades que satisfacen nuestras necesidades de todo tipo, es evidente que debe ser capaz de adaptarse a las conductas y las costumbres de quienes la ocupan. Esta sería, por consiguiente, la primera condición que debemos exigir a la arquitectura para comprobar si es o no correcta: que sea útil, en el sentido de que permita realizar las actividades de sus ocupantes de acuerdo con sus personales modos de vivir. Pero la arquitectura no sólo debe *dar lugar* a que se puedan realizar las actividades correspondientes a los fines a los que se destina, sino que esas actividades deben poderse llevar a cabo de la mejor manera posible de acuerdo con los hábitos y las conductas de sus usuarios. Esto significa que no basta con que el edificio sea *útil* sino que debe ser *confortable*. El cumplimiento del requisito de la *utilitas* implica, por lo tanto, que el edificio debe ser útil y confortable. Cuando el arquitecto renacentista Alberti (1977) reformuló los fines de la arquitectura que había propuesto Vitruvio, convirtió el concepto de *utilitas* en *commoditas,* introduciendo un matiz que hoy podemos asimilar a la idea de *confortabilidad*. La arquitectura moderna se ha centrado de un modo especial en acotar, de la forma más objetiva posible, las condiciones de utilidad, comodidad y confort que deben cumplir los edificios. El concepto de *funcionalidad* (la idea de que la arquitectura debe ser *funcional*) alude a todas estas cuestiones.

La funcionalidad, que incluye las ideas de utilidad, de comodidad y de confort, presupone la posibilidad de que el habitante del edificio pueda adaptarlo a su modo de vida, a sus hábitos y costumbres. En definitiva, que pueda hacerlo suyo, *apropiárselo*. Puesto que nosotros no actuamos como autómatas, robots o máquinas, sino que nuestras actividades experimentan modificaciones y variaciones, eso exige a la arquitectura una cierta *flexibilidad* de manera que pueda, también, acoplarse a esas situaciones cambiantes. Una obra que fuera rígidamente *funcional* para un estricto y único modo de hacer las actividades, a la larga, sería inútil, porque no se podría adaptar a las nuevas situaciones surgidas cuando esas actividades se modificaran. Luego la condición de funcionalidad que debe cumplir la arquitectura tiene que compatibilizarse con la de flexibilidad.

Todavía hay otra cuestión que afecta a la funcionalidad y que es necesario conocer para concluir si una obra de arquitectura la satisface correctamente. La arquitectura no la usa un solo habitante sino que, generalmente, acoge a un grupo: los miembros de una familia, los alumnos y profesores de una escuela, los sanitarios, enfermos y visitantes de un hospital, los actores y espectadores de un teatro… Cada uno de los cuales tiene su propia idiosincrasia, su particular modo de vida, sus hábitos y costumbres. En consecuencia, proyectar la arquitectura respondiendo a la estricta funcionalidad de algunos de ellos puede suponer un grave perjuicio para otros. Por ejemplo, un hospital ajustado sólo a las exigencias de los médicos y sanitarios puede resultar inhóspito y deprimente para los enfermos. Por lo tanto, la verdadera *funcionalidad* no es aquella que está adaptada exclusivamente a las necesidades de un tipo de usuario pero resulta negativa para otros, sino aquella que es capaz de encontrar un equilibrio donde el grado de satisfacción de *todos los posibles usuarios* sea suficiente y aceptable, aunque, vista desde el personal y particular enfoque de cada uno de ellos, no alcance la cualidad de óptima. El refrán dice que "lo mejor es enemigo de lo bueno". La buena arquitectura, bajo la valoración de su funcionalidad, no es la óptima para unos ocupantes pero inapropiada para otros, sino aquella que proporciona un grado de satisfacción suficiente a todos los posibles usuarios.

En resumen: el conocimiento lo más detalladamente posible del destino del edificio, el saber qué necesidades tienen los ocupantes y qué actividades concretas realizan en el contexto cultural y social donde se implanta para poder verificar si la obra puede darles satisfacción de una manera confortable, la comprobación de que les permite apropiársela adecuándose a su forma de vivir, y la constatación de que tiene una cierta flexibilidad que hace posible su adaptación a los usos cambiantes son, en consecuencia, los requisitos que debemos exigir a la arquitectura para poder considerarla aceptable y buena desde su consideración de *hecho social*.

3.2.- La arquitectura como *hecho duradero*: estabilidad, sostenibilidad, conservación (la *firmitas*)

Considerando ahora la arquitectura como un *objeto físico* afloran toda una serie de requisitos que también debe cumplir. Debe ser estable, segura, firme, proporcionar cobijo cómodo a los ocupantes, protegerlos de la intemperie... Todas estas demandas que ha de cumplir la arquitectura, Vitruvio las englobaba dentro de la idea de *firmitas* (la firmeza). De nuevo Alberti hizo una interpretación más matizada al denominarla *necesitas* (necesidad), incluyendo así, no sólo las cuestiones derivadas de su condición de ser un *objeto físico*, sometido a las leyes de la naturaleza que le impone restricciones que es necesario superar, sino también a las *condiciones físicas* que lo hacen *habitable, cómodo*. La arquitectura es como una envolvente que nos protege de la intemperie, que nos ofrece seguridad y a la que demandamos resistencia ante estos fenómenos naturales, creando así los espacios habitables donde discurre nuestra vida.

El reto que en este sentido se plantea el arquitecto es conseguir superar la ley de la gravedad creando una cobertura estable donde sea posible refugiarnos. Crear un *espacio vacío* en el que podamos entrar y donde poder vivir y desarrollar todas nuestras actividades con comodidad, es el objetivo más inmediato que la arquitectura debe alcanzar. Ludwig Mies van der Rohe, el gran arquitecto alemán del siglo XX, uno de los más importantes de toda la arquitectura moderna, hizo una metáfora muy convincente de la arquitectura diciendo que era un problema de "esqueleto y piel" (Neumeyer, 1995). El *esqueleto*, la estructura portante de una obra, garantiza la estabilidad, la seguridad, la superación de las limitaciones que impone la gravedad a la creación de una cubierta suspendida sobre nuestras cabezas conformando ese espacio vacío, sin el peligro de que caiga sobre nosotros y nos aplaste. La *piel* nos envuelve y permite generar unas condiciones ambientales en el interior, de acuerdo con nuestras necesidades de estanqueidad, de temperatura, de aislamiento, de protección. Garantizar ese cobijo y esa protección en las mejores condiciones durante el mayor tiempo posible, evitando deterioros, lesiones o desajustes, es lo que tenemos que reclamar de una buena obra de arquitectura. La tecnología y el conocimiento técnico, hijos de la ciencia, y el dominio de los soportes materiales y constructivos, son los que nos habilitan para saber resolver los problemas que plantea la arquitectura como objeto material y físico, capaz de cumplir con su función sustentante y protectora.

La comprobación de que un edificio es una buena obra de arquitectura, desde este enfoque, es casi obvia. La buena arquitectura es estable, segura, sin lesiones ni deficiencias, y crea las condiciones ambientales necesarias para poder utilizarla de manera óptima. Nos aporta todo lo que necesitamos en la cantidad apropiada (luz, temperatura, soleamiento, ventilación, aislamiento, protección…) que hacen que su vivencia y su uso sean plenamente satisfactorios. Una obra hecha con materiales espectaculares pero endebles, que se degradan rápidamente y hay que reponerlos con asiduidad, unas soluciones formales o espaciales brillantes pero que sólo pueden garantizar unas mínimas condiciones ambientales de uso mediante complejos y costosos sistemas tecnológicos que tienen un excesivo gasto energético, son claros ejemplos de malas obras de arquitectura, por muy atractivas que parezcan. Esto no significa que haya que evitar el uso de materiales más o menos espectaculares o de soluciones formales y espaciales brillantes. Lo que invalida estos ejemplos que he utilizado no es eso, sino la endeblez del material o el despilfarro energético. Por lo tanto, también serían mala arquitectura aquellas obras que tuvieran esas mismas limitaciones (debilidad del material para sus prestaciones y consumo energético irracional) aunque estuvieran hechas con materiales convencionales y soluciones espaciales triviales.

Ciertamente, la evaluación de la arquitectura bajo en este aspecto, reclama tiempo, porque una buena obra no es la que recién terminada se nos presenta impecable, sino aquella que usada durante un periodo razonable demuestra que responde de manera adecuada a las agresiones ambientales, a los cambios climáticos, a los desgastes del uso, que no precisa de continuas reparaciones y arreglos, que tiene una utilización y un mantenimiento fácil y sin gastos excesivos, que se adapta de manera óptima a las condiciones a las que la somete el quehacer cotidiano. El arquitecto catalán Oscar Tusquets sostiene que el reconocimiento de una buena obra de arquitectura no se debía hacer en el momento de su terminación sino una vez transcurridos diez años, cuando el edificio ya ha demostrado que resiste de manera firme, cómoda y segura. La conservación en buenas condiciones es la prueba de fuego de la calidad arquitectónica.

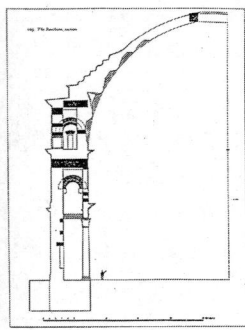

FIGS. 31-33: Panteón de Adriano (Roma, s. II): *Fotos exterior e interior, y sección estructural. Sigue en perfectas condiciones de uso tras XX siglos.*

La duración, la conservación, la reutilización en vez de la sustitución, y el uso, sin despilfarros ni gastos innecesarios, se han convertido en unos valores relevantes de la cultura actual englobados en la idea de *sostenibilidad*. Desde esta perspectiva, la *buena arquitectura,* es decir, la que responde de forma idónea a la *firmitas* vitruviana y a la *necesitas* albertiana, es aquella que mejor responde a los requisitos de sostenibilidad. Y la mayor duración de una obra, su conservación en las mejores condiciones posibles, que no necesita ser sustituida o reemplazada sino que permanece, es la que mayores cotas de calidad tiene en este senti-do. Evaluar la arquitectura bajo este prisma significa comprobar no sólo que durante su ejecución se hace un uso razonable de energía y ma-teria, sino que, sobre todo, también durante todo el periodo en que está en uso, permanece firme y útil sin que su mantenimiento y utilización reclamen un gran consumo energé-tico. Pero, además, que su periodo de vigencia, su vida útil, es la más

FIG. 34: Miguel Ángel: Iglesia de Santa María de los Ángeles (Roma, 1563-66). *Reutilización de las Termas romanas de Diocleciano.*

prolongada posible. Las obras de arquitectura de siglos pasados nos dan una gran lección en este sentido frente a la caducidad y el carácter efímero de muchos edificios actuales, incluidos algunos de los que se nos presentan como *sostenibles*.

3.3.- La arquitectura como *forma*: composición, percepción, disfrute (la *venustas*)

La arquitectura que se usa de manera óptima adaptada a los modos de vida de sus ocupantes, aquella cuya materialidad física crea los lugares apropiados a sus fines de un modo estable, seguro y confortable, la obra que mantiene estas cualidades durante el periodo de tiempo más prolongado posible, que dura en buenas condiciones de uso, es una buena obra de arquitectura. Pero Vitruvio también reclamaba para la arquitectura la condición de la *belleza* (la *venustas*): además de todo eso, la arquitectura debe ser *bella*. Una buena obra de arquitectura debe ser, no sólo confortable y sostenible, sino también bella. Estas tres cualidades van íntimamente unidas manteniendo una especial interdependencia: nunca puede ser bella una obra que no sea confortable y/o no sea firme y sostenible. Porque considerar que una obra es bella significa que la *disfrutamos* plenamente y no sólo que la miramos o que la *usamos*. Y presupone que reúne las características materiales y físicas que hacen posible ese disfrute. Pues ¿cómo podemos disfrutar lo que no usamos satisfactoriamente? ¿Cómo podemos apreciar lo que nos genera problemas, lo que nos deja desprotegidos, lo que nos produce inseguridad, lo que reclama una dedicación continua de conservación, lo que degrada el entorno, lo que malgasta esfuerzos y energías?

Las cualidades del confort y de la sostenibilidad son necesarias y previas para que una obra pueda ser bella, para que nos guste, para que la usemos plenamente y, por lo tanto, la disfrutemos. Pero que estos requisitos sean exigibles no significa que, por sí solos, garanticen la belleza. Retomando una reflexión del arquitecto y crítico de arquitectura italiano Vittorio Magnano Lampugnani (1999), convendría hacer una distinción entre la *belleza* que toda obra de arquitectura puede y debe alcanzar, y su cualidad como *obra de arte*. En el primer caso, estaríamos refiriéndonos a la arquitectura instalada en un contexto social, donde asume un significado, y provoca unas determinadas reacciones de aceptación en caso positivo, o, por el contrario, de indiferencia o rechazo. Entendida así, la arquitectura es un *acto de comunicación* entre el arquitecto y los usuarios a través de la obra. En este sentido, a toda obra de arquitectura se le puede reclamar su cualidad de *bella*, es decir, que asuma un significado aceptado por los que la usan, susceptible de hacerles disfrutar. En el segundo supuesto, estaríamos considerando a la arquitectura como algo excepcional capaz de despertar una *reacción estética* en quien la vive o la contempla, como las que nos producen las *obras de arte*.

Bajo el primer supuesto, la *belleza* arquitectónica se canaliza a través de formas, imágenes, volúmenes, espacios, texturas, materiales, se capta por todos los sentidos, pero de una manera especial por la vista, y tiene un determinado significado en el medio social donde surge. Es un *acto de comunicación social* que usa un *lenguaje de formas plásticas*, que adquiere un valor y que tiene un *sentido*. Puesto que es un lenguaje, lógicamente, para apreciarla, debemos conocer ese *lenguaje*. Es un error frecuente pensar que cualquiera, sin ninguna preparación ni conocimiento, puede hacer juicios validos sobre la arquitectura en este sentido. Es como pensar que alguien, sin saber chino, puede disfrutar de una poesía escrita en chino. Si conozco los significados del lenguaje arquitectónico, al ver un edificio puedo no sólo *entenderlo* (saber si se trata de una iglesia, de un estadio, de una fábrica o de un bloque de viviendas, o sea, entender su destino y la concordancia entre lo que las formas expresan y su uso), sino también *comprenderlo, apreciarlo y disfrutarlo*. Esto significa que ante una obra de arquitectura se puede valorar si su lenguaje (las formas arquitectónicas) y su significado son o no coherentes, si resulta interesante, singular, sugestiva, o, por el contrario, convencional y anodina, en definitiva, si produce aceptación, indiferencia o rechazo. Cuanto mayor y más rico sea nuestro *conocimiento sensible* (por seguir con el ejemplo anterior: cuanto mejor conozcamos el chino) más fácilmente podré comprender, apreciar y disfrutar de las cualidades plásticas y formales de la obra contemplada y evacuar un juicio más consistente. La educación de la sensibilidad, del gusto, a través de la acumulación de las experiencias y las vivencias, la amplitud y riqueza de nuestro mundo referencial de formas, el análisis persistente de nuestras propias reacciones ante las obras que atraen nuestra mirada y nos despiertan sentimientos de aceptación, es el único medio de dotarnos de criterios de evaluación cada vez más ajustados y pertinentes.

El análisis de la forma arquitectónica, de sus valores plásticos, desde el enfoque de una determinada sensibilidad educada y adiestrada en la vivencia y experiencia directa de la arquitectura, es lo que suministra las pautas de valoración, las cuales, sin embargo, no pueden conducir a conclusiones absolutas o definitivas. Simplemente indagan, de un modo más o menos convincente, las causas o los motivos por los que la obra despierta unas reacciones concretas. Este tipo de juicios son siempre *interpretaciones desde una determinada sensibilidad*, y por lo tanto, reflejan opiniones o enfoques, que nunca se pueden tomar como demostraciones concluyentes, sino que siempre son susceptibles de contrastarse con otras interpretaciones distintas. Y, en consecuencia, son valoraciones sometidas al debate de pareceres con otros enfoques posibles, entre los cuales son especialmente relevantes las opiniones y las reacciones provocadas en los usuarios y habitantes directamente implicados. Contrastar y analizar las diferentes respuestas suscitadas por una misma obra es el mejor modo de interpretarla y evaluarla para entenderla como un acto de comunicación con repercusiones en los agentes implicados.

Frente a este posible juicio sobre la *belleza,* como manifestación de una opinión crítica susceptible de contrastarse con otras, la consideración de la obra de arquitectura como *arte,* capaz de despertar una auténtica y profunda *experiencia estética,* se enlaza con sentimientos íntimos que nos afectan de un modo esencial, pero que quedan fuera de cualquier posibilidad de análisis. La *experiencia estética* no se racionaliza, ni es posible expresarla: se vive y se disfruta. Discurre por ámbitos distintos a nuestra racionalidad. Nos aporta un verdadero conocimiento, un *conocimiento sensible* que, entre otras cosas, nos permite conocernos mejor a nosotros mismos, conocer mejor nuestras propias reacciones y nuestros sentimientos más personales e íntimos. Pero es un tipo de conocimiento que se sitúa más allá de nuestra capacidad discursiva o de raciocinio. Todos los intentos de acotarlo y definirlo hechos por las *estéticas racionalistas* han conducido al fracaso.

Lo cierto es que son pocas, muy pocas, las obras de arquitectura que llegan a la categoría de verdaderas *obras de arte* capaces de llevarnos a una auténtica experiencia estética. Y ante esa experiencia profunda, que es certera pero inefable, solo cabe recordar lo que escribió uno de los filósofos más relevantes de la cultura moderna, el austríaco Ludwig Wittgenstein (2001, p. 183): "de lo que no se puede hablar hay que callar".

FIG. 35: Andrea Palladio: Villa Capra (*conocida como La Rotonda*) (Vicenza, 1566).

FIG. 36: F. Ll. Wright: Fallingwater, *Casa de la cascada* (1937).

Recapitulemos. La arquitectura entendida como una disciplina debe responder satisfactoriamente a tres cuestiones entrelazadas: ha de ser confortable, duradera y bella. Toda buena obra de arquitectura tiene que cumplir estos fines, y logarlos es algo que está al alcance de cualquier buen arquitecto. Por lo tanto, para comprobar si un edificio es una buena obra de arquitectura debemos analizarlo bajo ese triple enfoque: su funcionalidad, su idoneidad técnica y su belleza.

1) Considerar a un edificio bajo la óptica de *la funcionalidad* significa comprobar si es útil para los fines a los que se destina, si se usa de manera cómoda y confortable, si los ocupantes pueden apropiárselo e incorporarlo de forma natural a su modo de vida, ampliando y mejorando su horizonte vital, si es flexible y se adapta a los cambios de uso que experimenta, si responde de una manera suficientemente aceptable a los diferentes, y a veces contrarios, intereses de los distintos usuarios que la ocupan.

2) Analizarlo como un hecho material y físico supone centrar el interés en su *firmeza y sostenibilidad*. Bajo este enfoque un buen edificio será aquel que es seguro, estable, duradero, que crea el ambiente apropiado y aporta los requisitos necesarios para vivirlo y usarlo confortablemente, que dura en buenas condiciones sin deterioros o lesiones, que no reclama un uso y un mantenimiento costoso, que no necesita ser sustituido, que tiene un consumo lógico y racional de materia y energía, tanto durante su construcción como a lo largo de su vida útil.

3) Asignar a un edificio la cualidad de *bello* significa, no sólo que es funcional y sostenible, sino que, también, se ofrece a un *disfrute* pleno, satisfactorio y enriquecedor de quienes lo viven, lo contemplan y lo ocupan.

Además, algunas obras de arquitectura muy escasas y excepcionales son auténticas *obras de arte* que dan origen a una verdadera *experiencia estética*, aunque esta meta, que todo arquitecto se propone, no sea fácil de conseguir.

FIG. 37: Santuario Solar de Stonehenge (Inglaterra, c. 1400 a.C.):
Delimitación de un recinto sagrado.

4.- LOS MATERIALES DE LA ARQUITECTURA

En el apartado anterior he avanzado una idea sobre la que quiero volver ahora. He dicho que la arquitectura es un *lenguaje de comunicación* que establece una relación entre el autor, el arquitecto, por un lado, y los que la contemplan y la utilizan por otro, que tiene unos significados, y, en la medida que conocemos ese lenguaje, podemos entenderla, comprenderla y valorarla. Igual que, si sabemos chino, podemos entender, comprender y disfrutar de un poema escrito en esa lengua.

Todo lenguaje se concreta en mensajes susceptibles de ser interpretados, a partir de unos materiales o elementos, y de unas reglas que conforman la estructura lingüística correspondiente. Estos mensajes son elaborados por el *emisor* y recibidos por el *receptor*. Conocer los elementos y la estructura del lenguaje es esencial, tanto para el emisor, que debe basarse en ellos si quiere emitir un mensaje que tenga sentido, como para el receptor, si quiere entender lo que ese mensaje dice. No pretendo extenderme en exponer el contenido de la semiología, la semiótica, la lingüística general y la teoría de la comunicación, que estudian estas cuestiones, sino apuntar algunas ideas generales sobre la arquitectura considerada como sistema de comunicación.

Para aproximarnos a este enfoque pensemos un momento en los idiomas, que se manifiestan mediante dos de los lenguajes más evolucionados y complejos que tenemos: el habla y la escritura. Existen lenguas sólo habladas (ágrafas, es decir, sin escritura), y lenguas muertas (sólo escritas, sin que ya nadie las hable), lo que pone en evidencia que *un mismo idioma* puede manifestarse en diferentes *lenguajes autónomos e independientes*. Una lengua, el castellano, por ejemplo, se plasma, sobre todo, de dos manera: hablándola y escribiéndola, aunque también puede hacerlo con *otros lenguajes*, como el de los signos de los sordomudos. Aunque tanto el discurso hablado como el escrito se refieren a la misma lengua son, sin embargo, dos sistemas de comunicación diferentes. Los *materiales* (las palabras) y la *estructura* (que, por simplificar, la identificaré con la gramática) son comunes, pero se concretan en cada caso en *elementos distintos* (las frases) que reclaman una manera específica de *tratarlos* para configurar los mensajes, y de *interpretarlos* para comprender su contenido. Cuando hablamos, las frases del castellano (los mensajes) se sustancian en *sonidos* y cuando escribimos lo hacen en *signos gráficos* (letras). En el primer caso el discurso se canaliza por el aire, se recibe por el sentido del oído y se desarrolla en el tiempo. En el segundo, se canaliza sobre soportes espaciales (papel, carteles, pantalla del ordenador...) que se captan con la vista y precisan de un modo de interpretarlos que, en cierta medida, pretende reproducir el discurrir temporal del lenguaje hablado: la hoja que *vemos* toda de una vez, sin embargo, la *leemos* de arriba abajo y de izquierda a derecha siguiendo una secuencia temporal. A pesar de todo, y aunque se trate de las mismas palabras (la materia del idioma) y la misma gramática (su estructura), nunca se pueden trasladar con absoluta precisión los *mensajes* codificados con un lenguaje (la escritura, por ejemplo) a otro diferente (el habla). Por eso, un mismo guion (mensaje *escrito*) cada actor lo recita de una manera distinta (mensaje *hablado*), y una misma partitura (mensaje *escrito*) cada músico le da su personal interpretación (mensaje *oído*).

Simplificando, y sin entrar en un desarrollo detallado de todo esto que nos llevaría lejos de lo que ahora nos interesa, podemos decir que en un lenguaje hay tres estratos diferentes:

(1) el *código* o la lengua constituida por sus materiales propios y por su estructura o reglas (en el ejemplo anterior: las palabras del castellano con su gramática);

(2) que se concreta en unos *mensajes* que, si se ajustan a la estructura del idioma, son comprensibles por quienes lo dominan (las frases dichas o escuchadas cuando hablamos, y los textos escritos o leídos);

(3) los cuales se *materializan* de una determinada manera según sus características propias (los *sonidos* en los que se plasma el lenguaje hablado y los *signos gráficos* de las letras y palabras, en los textos escritos).

Sin pretender que la arquitectura, como lenguaje, se pueda interpretar fielmente de la misma manera que el habla o la escritura, podemos, con todo, preguntarnos: ¿cuáles son *la materia propia* de la arquitectura y las *reglas* que constituyen su estructura, es decir, su *código*? ¿En qué consisten los *mensajes* de la arquitectura y cómo los captamos? ¿Cómo se *materializan* esos mensajes?

Se puede decir que la *materia* prima con la que está hecha la arquitectura es *el espacio* y, por lo tanto, su estructura (su gramática) depende y se organiza de acuerdo con las condiciones y características propias que reclama esa materia prima. En otras palabras, la arquitectura es una estructura espacial.

Los *mensajes* de este lenguaje son *los edificios* que se presentan en *imágenes* cuyo vehículo de transmisión es, de un modo relevante aunque no exclusivo, la luz, y se captan de manera también relevante pero no únicamente, a través del sentido de la vista: las *imágenes de los edificios* son, por lo tanto, los mensajes propios de la arquitectura. Y estos edificios son *objetos materiales* que tienen una presencia física, conformando lo que llamamos propiamente arquitectura.

Ciertamente, utilizamos otros lenguajes para emitir y recibir *mensajes arquitectónicos*. De un modo especial, las maquetas y la llamada *arquitectura dibujada* recogida en planos, dibujos, fotos, *renders* o vídeos. Pero estos otros mensajes reclaman unos modos de interpretación diferentes y en gran medida autónomos. La *arquitectura propiamente dicha* es la construida y se presenta en imágenes de objetos físicos. Los otros lenguajes que *aluden o se remiten a la arquitectura* mediante *representaciones,* cualquiera que sea el lenguaje utilizado, no deben confundirse con la misma arquitectura, igual que una palabra escuchada (sonidos) no debe confundirse con su plasmación escrita. El vocablo pronunciado no lo puede captar un sordo que sí es capaz de leer el texto escrito. Ahora voy a centrarme en la arquitectura y no en esos otros lenguajes que aluden a ella pero que no lo son.

4.1.- La arquitectura como *objeto espacial*: masa, volumen, vacío, lugar, entorno, escala

Desde hace algo más de un siglo existe una gran unanimidad en considerar que la *materia prima*, el *elemento esencial* de la arquitectura, es *el espacio*. Un espacio interior, vacío y real, donde podemos entrar recorriéndolo, rodeado por un límite que lo separa y aísla del espacio exterior que lo envuelve. Separar un interior vacío de un exterior mediante un límite es el modo más inmediato y esencial de crear la arquitectura. Sin embargo, esto, que enunciado así parece simple, plantea problemas importantes. Por ejemplo, podemos preguntarnos ¿qué es el *espacio real*? ¿Qué se entiende por *espacio vacío*? ¿Cómo se establece el *límite*? ¿Cómo se relacionan el *espacio interior* y el *espacio exterior*?

A diferencia de la pintura, la fotografía o la pantalla del ordenador, que *representan,* mediante sistemas gráficos convencionales (la perspectiva, por ejemplo), o a través de procedimientos químicos, o por medios electrónicos, la *apariencia visual del espacio de tres dimensiones* en un soporte que, en realidad, sólo tiene *dos dimensiones* (hablar de imágenes en 3D no deja de ser algo ficticio, porque la pantalla es plana y, por lo tanto, las imágenes que aparecen en ella tienen sólo dos dimensiones), la arquitectura utiliza el *espacio real tridimensional y físico en el que nos movemos*. Esas otras representaciones están en *espacios virtuales,* no reales, que captamos *visualmente*, pero en los que nos es imposible físicamente entrar.

Si la materia prima de la arquitectura es el espacio real esto puede hacernos pensar que se trata del mismo espacio que estudian las ciencias físicas, o sea, que el *espacio arquitectónico* se identifica con el *espacio físico*. Pero esto no es exactamente así. La arquitectura crea el espacio *vacío* en el que entramos, pero lo cierto es que ese espacio no está *físicamente vacío* sino *lleno de una materia penetrable y en gran medida invisible que es el aire*. Desde el punto de vista de la física *la materia* (tanto si es penetrable como si es sólida) lo ocupa todo, y el *espacio físico*, decía Descartes, es *la cualidad de extensión de la materia*. En física hablamos de materia, masa, volumen, peso… y en arquitectura diferenciamos entre el *vacío* interior y la *materia sólida* que lo limita, lo envuelve y lo rodea. El *espacio arquitectónico* sería, por lo tanto, *el espacio físico* pero interpretado de una manera especial, porque lo consideramos como un *vacío rodeado de materia*.

Pero no es sólo eso. Nosotros, como cuerpos físicos que somos, también ocupamos espacio y nos movemos por él. Y esto hace que los lugares que frecuentamos, los recorridos que hacemos, los ámbitos donde habitualmente discurre nuestra vida, adquieran un valor específico y *un sentido* para nosotros. La *experiencia o vivencia del espacio* es uno de los componentes más fundamentales de toda nuestra existencia. En cualquier momento tenemos conciencia del espacio en el que estamos, y lo situamos en relación con una especie de *mapa mental* que constituye nuestro sistema básico y permanente de orientación, nuestro *espacio existencial*: cerca o lejos de casa, en un lugar conocido que nos aporta seguridad o extraño que nos inquieta, en el centro de nuestro espacio vital donde habitamos y que consideramos algo personal y propio o fuera de él en un sitio de paso o de estancia temporal, en una habitación que nos agobia y nos produce claustrofobia o, por el contrario, que nos arropa y nos da sensación de protección y seguridad, en un descampado que nos desahoga y libera o ante el que reaccionamos con agorafobia y nos sentimos expuestos, desprotegidos e inseguros… La escala, o sea, la dimensión del sitio en relación con nuestra propia dimensión corporal, la proporción, el tamaño, la densidad, la distancia, lo vertical y lo horizontal, cargan el espacio donde nos hallamos de cualidades relevantes para la valoración que hacemos de él. Cuando estamos en algún lugar que no somos capaces de integrar en los esquemas espaciales mentales que rigen nuestra existencia nos sentimos perdidos. Es lo que nos ocurre cuando, desorientados, no sabemos cómo salir de un laberinto. En resumen, el espacio, para nosotros, no es algo puramente objetivo, real, neutro, homogéneo y uniforme de materia extensa, como establece la física, sino que está cargado con un valor y un significado, que en todo instante nos orienta y nos sitúa, y que nos produce todo tipo de reacciones y sensaciones, como tranquilidad o desazón, seguridad o ansiedad...

Los lugares de nuestra existencia, que constituyen nuestros esquemas mentales espaciales, están igualmente caracterizados por nuestras relaciones sociales con las otras personas que los comparten: la familia, los amigos, los compañeros de trabajo, los equipos deportivos, las aglomeraciones..., todos estos vínculos se ligan a determinados lugares que asumen así cualidades, valores y significados concretos. Nuestro mapa mental está lleno de espacios que consideramos propios, compartidos o ajenos, y que por sus connotaciones sociales, nos atraen y buscamos, o por el contrario, nos repelen y evitamos. Si pensamos un poco en nuestros recorridos habituales por la ciudad descubriremos, fácilmente, las filias y las fobias que los determinan y por las que, normalmente, elegimos unos caminos y unos destinos, y evitamos otros.

La arquitectura juega un papel fundamental en la configuración de ese espacio vivencial o existencial. La casa, los lugares que frecuentamos y donde nos reunimos, los ámbitos de trabajo, nuestra ciudad que conocemos... todos ellos y otros muchos, son piezas esenciales de nuestro espacio vivencial y tienen un significado psicológico muy relevante y específico para nosotros. De este modo, la arquitectura se integra de forma fundamental en nuestro espacio vivencial convirtiéndose en un componente clave de nuestros esquemas mentales espaciales.

FIG. 38: Hans Scharoun: *Filarmonía* (Berlín, 1956-63).

FIG. 39: Frank Lloyd Wright: *Museo Guggenheim* (Nueva York, 1959).

En resumen, la materia prima de la arquitectura es el *espacio arquitectónico* formado por una amalgama que incluye los elementos del espacio físico real (masa, volumen, peso...), pero interpretados de un modo muy particular como *vacío* (aire: materia penetrable) rodeado de *lleno* (límite sólido de materia impenetrable), el cual es susceptible de cargarse de valor y significado en la medida que se incorpora a los esquemas mentales, al *espacio existencial,* a la *experiencia espacial* de quienes lo ocupan. Si, como hemos dicho, la arquitectura es un lenguaje cuya materia prima es el espacio arquitectónico, su estructura es, sobre todo, una síntesis entre el espacio físico y el espacio psicológico o vivencial. Hacer arquitectura significa manipular y ordenar todas esas variables físicas (aquilatando el *lleno* y el *vacío,* lo *sólido* y lo *aéreo*) dotándolas de un determinado significado. De esta manera, el arquitecto construye su *mensaje* y establece, a través del edificio, su comunicación con los destinatarios de la obra. El arquitecto piensa y da forma al espacio que el habitante hará suyo incorporándolo a su espacio vivencial apropiándoselo.

4.2.- La arquitectura como *objeto visual:* el papel de la luz

Los mensajes de la arquitectura se concretan en los edificios, los espacios urbanos, los lugares que nos acogen. Las leyes de este lenguaje, su *gramática,* son las que rigen el espacio físico y el espacio psicológico. Captamos la arquitectura cuando la vivimos y recorremos, reconociendo las cualidades de esos espacios. Y lo hacemos a través de los sentidos, especial pero no únicamente, con la vista. Aunque es una simplificación en gran medida abusiva, se puede decir que la *imagen visual* es lo que nos permite, de una manera relevante, conocer y comprender la arquitectura. El elemento que hace posible esta percepción es la luz.

Las características de la luz (natural, artificial, velada, intensa…) y sus consecuencias (luminosidad, iluminación, color, sombra…) son las que originan la imagen que percibimos. La luz nos permite situar en *el espacio* los objetos visibles (cerca, lejos, delante, detrás, arriba, abajo, dentro, fuera…), nos aporta la información principal sobre sus cualidades formales (figura, perfil, contorno, volumen, dimensión, tamaño, color, textura…), sobre sus características físicas (transparente, opaco, denso, brillante, *invisible*…), y nos facilita las actividades que hacemos (leer, trabajar, desplazarnos…). En definitiva, gracias a la luz podemos *captar el espacio* así como *comprender los edificios* y *usarlos.*

La *captación,* la *comprensión* (o sea, su *valoración* y su significado) y el *uso* de la arquitectura son posibles gracias, básicamente, a la luz. Sin embargo, la percepción de la arquitectura incorpora algunos matices específicos respecto a la de otros objetos físicos, también visibles, que conviene tener en cuenta. En primer lugar, su condición de ser un objeto tridimensional; en segundo lugar, su vocación de integrarse en nuestro espacio psicológico y, por lo tanto, en la estructura de nuestros esquemas mentales espaciales; por último, su cualidad utilitaria.

A diferencia de lo que ocurre con las imágenes bidimensionales (un cuadro, una fotografía, una película...), cualquier objeto tridimensional nunca podemos captarlo visualmente en su totalidad con una sola imagen, sino que debemos verlo desde diferentes puntos de vista para poder entender su volumen y su forma. Sólo cuando encontramos las relaciones y conexiones entre esas distintas imágenes visuales, sintetizándolas de manera unitaria, podemos decir que *entendemos formalmente* ese objeto. Pero como esas distintas imágenes no se pueden visualizar simultáneamente sino sucesivamente unas después de otras, para poderlas relacionar y vincular entre sí a fin de comprender formalmente el objeto que estamos viendo, necesitamos tener una cierta *memoria visual* que nos permite recordar las imágenes anteriores vistas con aquellas que, en cada momento, tenemos ante nosotros, para poder fundirlas entre sí y establecer las relaciones correspondientes.

FIGS. 40-42: Le Corbusier, Iglesia de Notre Dame du Haut (Ronchamp, 1954): *Fotos del exterior y del interior.*

En el caso de la arquitectura esas relaciones entre las visiones sucesivas que precisan de la memoria visual son tanto *exteriores* (alrededor del objeto igual que hacemos, por ejemplo, en el caso de la escultura o de las maquetas), como también *interiores,* porque el espacio interior es esencial en la captación visual de la arquitectura. La gran complejidad formal de una obra de arquitectura puede conducir a que no seamos capaces de conectar mentalmente las sucesivas visiones de la obra tanto exteriores como interiores, y eso significa que no podemos *llegar a comprender visualmente el edificio*, que no llegamos a hacernos una imagen unitaria y coherente. Por eso la percepción visual de la arquitectura (a diferencia de la escultura) necesita una habilidad específica, y la forma arquitectónica, para ser comprensible, precisa de una mayor simplicidad geométrica así como de elementos que sirvan de nexos visuales que nos ayuden a entender las relaciones entre el interior y el exterior: puertas, aperturas, ventanas, pórticos, enfiladas, muros transparentes...

FIG. 43-44: Francesco Borromini: Sant'Ivo alla Sapienza (Roma,1642-50).
Fotos de la cúpula exterior e interior

Pero como, por otra parte, la arquitectura se incorpora a nuestros esquemas espaciales mentales, su significado está íntimamente marcado por las características estructurales de esos esquemas. Por ejemplo, *vemos* sólo lo que tenemos ante los ojos, no lo que está detrás de nosotros, y esto hace que la sensación envolvente del espacio interior trascienda la imagen visual que percibimos. La distancia de, por ejemplo, 10 m, la interpretamos de manera muy distinta si está en el plano horizontal (porque es accesible y la podemos recorrer fácilmente) que si se encuentra en el plano vertical (porque nos resulta inaccesible). Luego la idea de *distancia,* su valor y su significado y no son uniformes o intercambiables en todas las direcciones. Estas y otras cuestiones similares, derivadas de nuestra vivencia del espacio, se integran y cualifican de una forma especial la experiencia de la arquitectura.

Tenemos la sensación de que es un *espacio envolvente vacío e interior,* pero *la imagen* que percibimos en cada momento sólo nos aporta la visión frontal, por lo tanto, esa sensación envolvente es el resultado de *imágenes sucesivas* las cuales se completan gracias a la ayuda de la memoria visual y de otros sentidos como el oído. Del mismo modo, las dimensiones en arquitectura son cualitativamente muy distintas si corresponden al plano horizontal o al plano vertical. Y todas estas cuestiones asumen un protagonismo relevante en la *imagen visual de la arquitectura.*

Pero aún hay más. El uso que hacemos de los edificios se convierte en un componente relevante para la *comprensión y el significado* de su imagen visual. Esto se puede entender fácilmente con un ejemplo. Alguien que no sepa para qué sirve un lápiz de madera, al verlo, lo interpretará sólo como un palo. Pero el que sabe lo que es un lápiz, aunque *sólo lo vea* (aunque no lo esté usando) captará a través de su imagen si es cómodo de usar, si es útil, si es pesado e incómodo, si es excesivamente grande o muy pequeño para poder manipularlo... o sea, a través de su imagen comprenderá y valorará sus cualidades utilitarias. Es lo que nos ocurre también con los edificios. La condición de utilidad y funcionalidad de la arquitectura se incorpora así a su imagen visual y a su interpretación. Vemos un edificio (un cine, un estadio...) y, mediante su imagen, implícitamente, elaboramos un juicio de valor sobre su idoneidad y su capacidad, o, por el contrario, su inadecuación para el uso al que se destina.

Tres cuestiones, por lo tanto, tiñen de un modo particular la captación, comprensión y valoración de la *imagen visual de la arquitectura*: su condición tridimensional y de espacio envolvente que reclama una cierta memoria visual para sintetizarla y entenderla; su protagonismo en los esquemas mentales espaciales que la tiñen con las características específicas de ese espacio vivencial y psicológico; y su carácter utilitario que cualifica su valoración incluso visual.

4.3.- La arquitectura como *objeto material*: la *técnica y la materia*. Esqueleto y piel

El espacio vacío interior, síntesis de espacio físico y espacio psicológico, es la *materia prima* de la arquitectura que se sustancia en los edificios los cuales, gracias a la luz, se captan a través de sus imágenes visuales que discurren desde el *emisor* (el arquitecto autor) al *receptor* (el usuario de las obras) estableciendo la comunicación entre ellos. El autor materializa estos mensajes gracias al control y dominio de las técnicas constructivas. Ya hemos visto anteriormente los conocimientos técnicos y el papel que juegan los materiales y sistemas constructivos que el arquitecto debe conocer y controlar para realizar su obra. Voy a comentar ahora cómo el autor puede manipular esos elementos para conformar su *edificio-mensaje* cargándolo de sentido y de significado.

Para que el ocupante pueda comprender el edificio e integrarlo en sus esquemas mentales la obra ha de destacar, precisamente, aquellos elementos que constituyen el *espacio* arquitectónico. Y ha de hacerlo mediante elementos perceptivos y visuales: es decir, con la utilización de la luz. El filósofo alemán Schopenhauer (2004, p. 201) subrayaba como aspectos específicos de la arquitectura estas dos características. Escribe: "Opino, pues, que el destino de la arquitectura es poner de manifiesto la lucha entre el peso y la rigidez, pero también desplegar y recrear la esencia de la luz". Es esta *lucha* contra la gravedad la que hace posible la creación del *espacio vacío interior,* y es la *luz* la que nos permite percibirlo.

La *lucha entre el peso y la rigidez* se pone de manifiesto en la resolución sustentante y estructural de la obra: o sea, el *esqueleto* de la arquitectura como decía Mies van der Rohe. Y el espacio interior se establece cuando definimos un *límite*, una *frontera* que lo separa y aísla. Es decir, cuando creamos una *piel,* por seguir recordando la metáfora miesiana. La manera de tratar estos dos elementos (la estructura y la envolvente) es el modo principal o prioritario como el arquitecto puede construir su *mensaje*, o sea, darle distintos significados a su obra.

FIG. 45: Sainte Chapelle (París, s. XIII).

FIG. 46: Sinagoga de Santa María la Blanca (Toledo, s. XII).

FIG. 47: Louis H. Sullivan: Wainwright Building (St. Louis, 1890-91). *En construcción.*

FIG. 48: Ludwig Mies van der Rohe: Proyecto de rascacielos de vidrio (Berlín, 1922). *Maqueta.*

Manipulando, combinando y relacionando ambos elementos (esqueleto y piel) el autor consigue asignarles una expresión y un sentido. Puede, por ejemplo, separarlos, drásticamente, haciendo que tanto el esqueleto como la piel asuman total autonomía en la imagen, mostrando así de manera elocuente el papel que cada uno de ellos desempeña. Es lo que hacía, por ejemplo, Le Corbusier, cuando dejaba los pilares vistos e independientes de cualquier cerramiento o muro. Pero puede también fundirlos y unificarlos, como ocurre con las paredes en las construcciones tradicionales que son a la vez cerramientos y partes sustentantes, o como pasa con las cáscaras de hormigón armado de arquitectos como Félix Candela, que son, simultáneamente, envolventes continuos y estructura portante, asumiendo, de este modo, un significado diferente.

En el caso de la *piel* puede diferenciar drásticamente la piel-cubierta que crea el espacio interior bajo ella donde asume protagonismo la *lucha contra la gravedad*, de la piel-envolvente vertical donde lo esencial es el modo en que se establece la frontera entre *el interior y el exterior* (como en la Farnsworth house de Mies) subrayando el sentido diferente que para nosotros tiene la horizontal y la vertical; e incluso eliminar alguna de ellas, ya sea la cubierta (como ocurre en los patios y jardines cerrados o en los espacios públicos urbanos como plazas), ya sea la envolvente (como en las pérgolas y pabellones); puede hacer que la piel sea única y potente, claramente visible, configurando un volumen macizo y pesado, adquiriendo así una relevancia absoluta como separación y cierre protector (como en Ronchamp de Le Corbusier), o bien, diluirla, haciéndola casi invisible mediante el uso de materiales transparentes como en el museo de Toledo (EE.UU.) de Sanaa. O incluso difuminar su carácter sólido y macizo presentando una apariencia luminosa y etérea como en la arquitectura barroca y rococó.

FIG. 49: Walter Gropius: Fakenhagen (1910-11).

FIG. 50: Arne Jacobsen: Foyer del Herrenhausen (Hannover, 1964).

FIG. 51: Kazuyo Sejima (SANAA): Glass Pavillion del Museo de Arte (Toledo, 2006).

También la *separación* entre interior y exterior que la envolvente establece, se puede matizar de muy distintos modos, separándola o tratándola en capas diferentes en las que cada una de ellas crea un tipo de aislamiento específico. Puede ser, por ejemplo, una separación física que, sin embargo, deja pasar la luz y la vista (como el vidrio) o sólo la luz coloreándola (como el alabastro o las vidrieras), puede ser permanente y fija (como el muro) o temporal y manipulable (como las persianas y cortinas), puede proteger o controlar la luz y el sol pero dejando pasar el aire (como las celosías) e incluso ser sólo un límite que impide convencionalmente el paso o acota un recinto sin que nada físico lo haga realmente inviolable (como un desnivel o el borde de una alberca). Las combinaciones de todas estas posibilidades son casi infinitas y la arquitectura de todos los tiempos nos aporta ejemplos elocuentes de la riqueza inagotable que la manipulación de la envolvente aporta al lenguaje arquitectónico.

En relación con el esqueleto-estructura, el arquitecto puede darle importancia, como en las iglesias góticas o en las oficinas de los laboratorios Johnson & Jonhson de Wright, incluso ser el único elemento arquitectónico (como en la torre Eiffel o en el Monumento a la III Internacional de Tatlin). O puede hacerla desaparecer de la imagen, como en la Casa de la Cascada (Wright) que parece flotar en el aire sin nada que la sostenga. Pero también puede resaltar su condición de estable y permanente, como transmiten la forma maciza de las pirámides y las ruinas mayas, o, por el contrario, hacer que parezca frágil e inestable como las obras de Gehry.

FIG. 52: Vladimir Tatlin: Proyecto de monumento a la III Internacional (1919). *Maqueta.*

FIG. 53: Frank Lloyd Wright: Oficinas de la Cía. Johnson & Johnson (Racine, 1936-39).

FIG. 54: Ruinas mayas de Tikal.

FIG. 55: Frank Gehry: Museo Guggenheim (Bilbao, 1992-97).

Todo esto pone en evidencia que uno de los medios más potentes y ricos que tiene el arquitecto para crear su *mensaje arquitectónico* (su obra) es precisamente la materialización de su estructura portante y de su límite (o dicho en términos de espacio psicológico: el *cobijo* como vacío interior, y la *envolvente*), asignándoles diferentes cualidades que pueden desempeñar distintos papeles en la *imagen* de la arquitectura gracias a la luz. Al servir como vehículo y canal por donde circulan los *mensajes arquitectónicos*, la luz hace posible que captemos su sentido y su carácter, y, en consecuencia, posibilita que cada usuario incorpore la obra a su vivencia y a sus esquemas mentales espaciales. Pero no hay que olvidar que el control de estos elementos (estructura y envolvente), para que adquieran el sentido buscado por el arquitecto, supone que el autor ha de dominar y utilizar hábilmente los conocimientos técnicos necesarios (cualidades portantes de los materiales, técnicas y sistemas de ensamblajes, soluciones estructurales…) que hacen posible su construcción y su realización.

Sintetizando.

I.- La arquitectura es un lenguaje que establece una comunicación social donde el autor elabora unos mensajes que son recibidos, comprendidos y valorados por los ocupantes o receptores de su obra. La *materia prima* de la arquitectura es *el espacio arquitectónico* que unifica cualidades del espacio físico real con significados del espacio vivencial o psicológico. La arquitectura es, pues, un espacio real, vacío, acotado por un límite que tiene un determinado sentido para quien lo ocupa. Hacer arquitectura es, en esencia, crear un *espacio arquitectónico vacío encerrado en un límite y cargándolo de sentido.*

II.- El modo en que se concreta ese espacio arquitectónico es a través de los edificios y, la manera de captarlo y entenderlo es, fundamentalmente mediante su *imagen,* percibida, sobre todo, con el sentido de la vista. Las características de la visión humana, entrelazadas con la especificidad de la arquitectura, hacen que en la *percepción visual de su imagen* tomen relevancia algunas cualidades:

1) Su condición de espacio envolvente interior y su característica de ser un objeto tridimensional precisan de una *memoria visual* capaz de unificar las sucesivas imágenes de manera coherente y poder, en consecuencia, *entender y comprender la obra* en su conjunto.

2) Su integración en los esquemas espaciales del hombre se trasladan a la percepción de la obra cualificándola: distancia, escala, diferenciación entre el plano horizontal y el vertical, frontalidad...

3) Su destino utilitario y su funcionalidad confieren a la imagen un determinado sentido y una valoración.

III.- Por último, la manipulación técnica (la materialización o construcción de la obra) es lo que le permite al arquitecto crear su obra (construir el espacio vacío encerrado en un límite), que el usuario incorporará a su vivencia espacial. En consecuencia, hay que superar la gravedad (el *peso y la rigidez*) con los sistemas estructurales (el esqueleto) y definir la envolvente (la piel). La construcción del límite y la superación de la gravedad, que establecen el vacío interior, se convierten así en el acto primigenio de creación arquitectónica. Las posibilidades y combinaciones entre la estructura y la envolvente se revelan, de este modo, como las herramientas más potentes que tiene el arquitecto para dar un sentido a su creación.

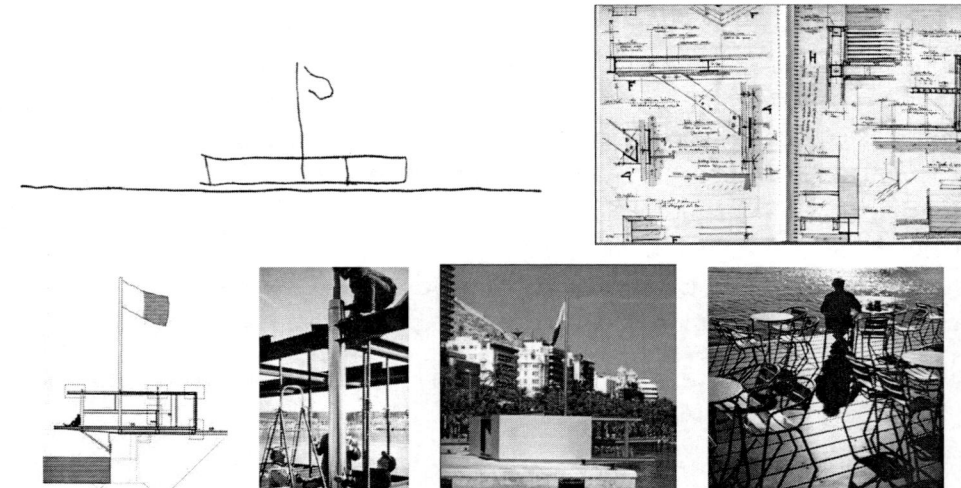

FIGS. 56-61: Javier García-Solera Vera, Bar Noray (Alacant, 2000): *Croquis de la idea; dibujos de la construcción; plano de sección; proceso de construcción; fotos del edificio acabado y en uso.*

5.- DEL PENSAMIENTO A LA ACCIÓN

De una manera esquemática, podemos decir que hacer una obra de arquitectura significa hacer que la idea de un edificio (una *invención*) se haga real, se convierta en una *obra construida*. Hasta que la obra no existe, físicamente, no hay verdaderamente arquitectura. Se trata de pasar del pensamiento a la realidad. Del *pensar* al *hacer*. Y hemos comentado cuáles son las bases y conocimientos sobre los que se asienta el *pensar* (el conocimiento racional, histórico y sensible) y las estrategias que facilitan el tránsito desde esas bases generales a los casos concretos de aplicación, o sea, el paso desde el pensamiento a la acción (el conocimiento del medio social, de los soportes técnico y material, así como del oficio).

En el tránsito entre esos dos polos (del pensamiento o teoría, por un lado, a la acción o práctica, por el otro), en donde la ejecución sirve de retroalimentación y se convierte en una nueva plataforma que resitúa el pensar como punto de arranque para nuevas acciones (*pensar-hacer-repensar*), hemos comentado, así mismo, que la *evaluación crítica* y el análisis de los resultados se destaca como la clave para la invención arquitectónica y para el ejercicio profesional (*invención-autocrítica-revisión*). Esta evaluación crítica tiene que centrarse en las características esenciales de la arquitectura: el uso confortable, la duración y la sostenibilidad, y la belleza entendida como el uso pleno y la aceptación de los destinatarios de la obra.

Con todos estos elementos, con sus relaciones, dependencias y conexiones, cada arquitecto, cada uno de nosotros, va creándose su modo personal de enfrentarse a la resolución de los problemas arquitectónicos, es decir, hacer realidad las obras, edificios y espacios urbanos. Una manera de ejercer la profesión que refleja su forma de trabajar. No hay un método preestablecido cerrado, objetivo, general y fijo para resolver el proceso que conduce desde el planteamiento del problema y la invención, al edificio terminado y en uso, sino que cada uno va conformando su propia práctica profesional. Pero que no exista un protocolo único, como el que utilizamos cuando solucionamos un problema científico o un experimento en un laboratorio, no significa que no haya diferentes pautas establecidas de un modo claro por el entramado profesional y la costumbre. O sea, aunque cada uno va definiendo y perfeccionando su particular modo de actuar, sin embargo, a lo largo de su trabajo el arquitecto tiene que ir ajustándose e ir superando distintas etapas fijadas por el contexto social, legal y cultural donde ejerce su profesión. Es decir, el trabajo de cada arquitecto se ha de adaptar a un sustrato legal y culturalmente prefijado. Por lo tanto, es necesario compatibilizar y acoplar entre sí esos dos procesos: por un lado, la forma que cada uno tiene de proyectar y dirigir obras y, por el otro, las fases que se deben seguir de acuerdo con las normas establecidas y la costumbre.

En nuestro entramado productivo y legal el proceso que lleva desde el planteamiento del problema a la obra concluida tiene una secuencia temporal dividida, fundamentalmente, en dos fases, con frecuencia discontinuas y separadas por un periodo de tiempo, más o menos prolongado, diferenciadas por lo que podríamos llamar una *meta intermedia*. La primera parte la conocemos como la *redacción del proyecto* y la segunda como la *ejecución de la obra*. La meta intermedia se conoce como *el proyecto,* entendido como el *conjunto de documentos gráficos y escritos* (planos, memorias, pliegos de condiciones, mediciones, presupuestos, cálculos, programas de trabajo…) que prefiguran el resultado final del edificio en sus características formales, espaciales, estructurales, económicas… así como los sistemas y soluciones técnicas y constructivas que lo hacen viable.

5.1.- La arquitectura como proceso. De la invención a la obra

De todo esto quiero destacar tres cuestiones:

1.- La creación de la arquitectura es un *proceso único* que lleva desde *la invención,* a partir del planteamiento del problema (lo que conocemos como *el encargo*), a *la obra* construida y en uso. No debemos olvidar que *todo es un mismo proceso* aunque, a lo largo de su evolución, existan diferentes etapas, interrupciones temporales o metas intermedias que se van superando.

Algunas de las consecuencias negativas a las que conduce el olvido de esta cuestión están poniendo en crisis la misma profesión de arquitecto, porque se está extendiendo una práctica donde esas metas intermedias se convierten en fines en sí mismas, y sirven para desplazar al autor/arquitecto del control unitario de todo el proceso, dando origen a *dos maneras de ejercer la profesión independientes*: el *arquitecto-proyectista,* que ignora los conocimientos y las habilidades necesarios para la materialización de su invención y cuyo trabajo termina en la redacción de proyecto; y el *arquitecto-constructor,* que asume la segunda parte del proceso, la ejecución de la obra, adaptando las ideas de otros para su materialización, desvirtuando, con frecuencia, la invención original del proyectista y degradando así la arquitectura.

2.- El hecho de que en nuestro entorno productivo y legal este proceso tenga *dos fases claramente separadas* (la fase proyectual y la construcción), no significa que sean dos cosas independientes y ajenas entre sí, ni que esa meta intermedia sea inevitable. Esta separación no es siempre esencial y absolutamente necesaria para un control racional y eficaz de la creación de la arquitectura. Hay casos donde la *prefiguración gráfica* de la obra (los *planos* que forman parte de lo que llamamos proyecto), o la *definición de sus características* (las *memorias* que determinan los materiales, soluciones y sistemas constructivos), no aportan ninguna información relevante para definir la obra y, por lo tanto, no existen. Por ejemplo, entre los primitivos griegos, una vez definido el templo que se quería hacer, la elección del orden pertinente venía establecida por la tradición (dórico para dioses varones, jónico para diosas y corintio para vírgenes), y su *forma* estaba fijada por las *relaciones proporcionales* correspondientes de cada uno de esos órdenes, por lo que no era necesario plasmarla en documentos gráficos o planos. Además, las *relaciones dimensionales* dependían, por un lado, del tamaño que iba a tener el templo (según el terreno disponible donde se iba a levantar el edificio que fijaba el número de columnas necesario), y, por el otro, por las condiciones resistentes de los materiales y las tradiciones constructivas conocidas y contrastadas por la buena práctica. Por lo tanto, la *forma,* las *dimensiones* y el *modo de construcción* quedaban claros una vez establecido el dios para el que se levantaba y el orden pertinente, así como el tamaño en función del terreno disponible. Por consiguiente, no había necesidad ni de dibujar la forma en planos, ni de definir la construcción en memorias o pliegos de condiciones técnicas.

3.- En el ámbito de la arquitectura utilizamos la misma palabra *proyecto* para designar cosas que son diferentes, introduciendo una confusión que hay que evitar. Especialmente entendemos como *proyecto* dos acepciones distintas entre sí: 1) el *proyecto* considerado como la *definición de la forma arquitectónica,* lo que en la Academia se llamaba la *composición* (todavía en italiano se usa el término *composizione* para aludir a esta definición gráfica de la forma); y 2) el *proyecto* como *el conjunto de documentos (gráficos y escritos),* establecidos por la normativa y la costumbre, que son necesarios para la tramitación legal, para el establecimiento y control de la construcción, y para fijar las condiciones contractuales entre el promotor y el constructor de la obra. Estos dos modos distintos de entender el proyecto han dado origen, además, a toda una serie de derivados que señalan otras tantas *metas intermedias* en la fase primera de desarrollo de todo el proceso tales como: el *anteproyecto* (que alude a una fase previa a la solución formal), el *proyecto básico* (que se refiere a los documentos necesarios para la tramitación administrativa), y el proyecto de ejecución o *proyecto ejecutivo* (que corresponde al conjunto de documentos que definen todos los aspectos necesarios para la prefiguración completa de la obra prevista, incluyendo los cálculos, las instalaciones, las mediciones, los presupuestos, los pliegos de condiciones técnicas y administrativas, etc.).

Esta manera de interpretar el proceso de creación arquitectónica lleva implícita la idea de que se trata de algo rígidamente lineal en el que se van alcanzando y superando metas sucesivas, las cuales quedan ya fijadas definitivamente, convirtiéndose en cuestiones resueltas, cerradas e invariables, que condicionan de manera relevante las siguientes etapas. Una interpretación que dificulta la *retroalimentación y el reajuste a lo largo de todo el proceso,* el cual, en realidad, debe estar en gran medida abierto, permitiendo así la necesaria reorientación de acuerdo con las circunstancias cambiantes e imprevisibles que puedan aparecer en momentos posteriores. Pensar que todo es un proceso lineal pautado por metas cerradas impide, por ejemplo, que en el momento de realizar la obra se puedan ajustar los sistemas constructivos y las unidades de obra definidas en etapas anteriores (en el proyecto, por ejemplo), a fin de adaptarlas mejor a la capacidad y experiencia de los constructores concretos que van a intervenir o a los materiales y elementos realmente disponibles en el momento de la ejecución.

A pesar de los inconvenientes que tiene esta manera de realizar el recorrido desde el pensamiento a la acción, vamos a analizar el modo en que se realiza la arquitectura siguiendo esta secuencia, ya que es así como se desarrolla, aquí y ahora. El paso desde el planteamiento del problema a la obra en uso, aunque no es un proceso exclusivamente lineal, sigue una secuencia (con bucles, revisiones, replanteamientos, saltos atrás y adelante) que va superando etapas, concretando progresivamente la solución. Siguiendo las fases establecidas en nuestro entorno podríamos diferenciar cuatro: (1) la fase inventiva, (2) la concreción documental, que sirve para definir la solución, (3) el proceso de la realización material y (4) la puesta en uso.

5.2.- La invención

El punto de arranque de la creación arquitectónica es el encargo que el arquitecto recibe del promotor de la obra. Sin encargo no hay arquitectura. La primera cuestión que el arquitecto debe plantearse es convertir en aspectos arquitectónicos las condiciones que el promotor establece al encargarle un trabajo, tales como el presupuesto disponible, las normativas aplicables, el terreno, las actividades que debe acoger el edificio… todo esto el autor ha de convertirlo en espacios, materiales, formas, volúmenes… Dos niveles paralelos donde los conocimientos generales se convierten en aplicaciones concretas al problema con el que se enfrenta, le sirven al arquitecto para inventar su solución. Por un lado, la transformación del encargo en el *programa* de las necesidades y requisitos de todo tipo que la obra ha de satisfacer, haciendo viable la solución (incluyendo, lógicamente, las relaciones entre materia, técnica, forma y coste, entre otras). Por el otro, la definición de la *forma* que solventa todas las cuestiones. *Programa* y *forma* trasladan las demandas del encargo al universo de la arquitectura.

El análisis y el tratamiento racional y exhaustivo de toda la información necesaria es lo que abre la vía a la invención formal. Hay muchas maneras de plantear este paso que convierte el encargo en programa y en forma.

Walter Gropius, un maestro de la arquitectura, utilizaba un método sistemático, dividiendo el problema general en *partes* autónomas (separación de actividades y elaboración de organigramas con sus interrelaciones y dependencias, posibilidades técnicas, constructivas y estructurales, etc.). Para cada uno de estos problemas parciales buscaba la solución formal óptima. Y, finalmente, todas esas soluciones parciales las refundía en una forma unitaria, verificando su compatibilidad y resolviendo los desajustes que planteaba ese resultado unificado. Había, por lo tanto, una triple comprobación:

(1) que cada parte resolvía el problema parcial correspondiente;

(2) que todo el conjunto no presentaba fricciones de unas partes con otras;

(3) que el resultado final respondía correctamente a los requisitos del programa y del encargo.

Por su parte, el arquitecto Le Corbusier actuaba de un modo distinto. Iba desmenuzando y racionalizando los diferentes *aspectos* del problema (cuestiones funcionales y de uso, sistemas técnicos y estructurales posibles, valores simbólicos, condiciones del emplazamiento…) y, paralelamente, maduraba de manera intuitiva, una síntesis formal que abarcaba la globalidad. A continuación, iba reajustando la solución formal intuida a los requisitos de todo tipo que debía satisfacer. Un proceso iterativo que, poco a poco, desde las iniciales ideas espaciales y volumétricas vagas y genéricas, se iba definiendo en formas y soluciones de acuerdo con los condicionantes impuestos por el programa.

En ambos modos de abordar el proyecto, el chequeo de la solución final con el inicial programa que había de cumplir, era la garantía del acierto. Tanto en el caso de Gropius, donde la forma es la síntesis de soluciones parciales, como en el de Le Corbusier, donde la forma surge de una intuición inicial unitaria, la creación de la forma arquitectónica se convierte en el momento crucial de la invención.

Según el autor inglés Geoffrey Broadbent (1976), hay cuatro principales maneras *de inventar las formas* en el diseño arquitectónico. Son: (1) el diseño pragmático; (2) el diseño icónico; (3) el diseño analógico; y (4) el diseño canónico.

1.- El *diseño pragmático* consiste en usar los materiales y los elementos disponibles y a mano, generando, a partir de ellos y de las posibilidades que nos ofrecen, el edificio. Es el modo en que actúan, por ejemplo, los cazadores primitivos o los esquimales cuando improvisan un refugio donde protegerse, recogiendo hierbas en la tundra o en el bosque y tejiéndolas entre sí. Y es, también el que siguió el arquitecto moderno mexicano Juan O'Gorman cuando se construyó su propia casa. Todavía, hoy en día, es uno de los modos más generalizados de crear la arquitectura porque es la base de la autoconstrucción que sigue la inmensa mayoría de la población mundial, sobre todo, en los países del llamado tercer mundo.

FIG. 62: Joan O'Gorman: Casa propia en San Ángel (México D.F., 1968).

2.- El *diseño icónico* supone que la nueva obra que queremos levantar *copia fielmente un modelo precedente*. Implica no sólo repetir la imagen y la forma, sino también todo lo que define la arquitectura: los materiales, las dimensiones, los sistemas técnicos y los métodos constructivos, e incluso los valores simbólicos y los ritos o procesos de ejecución. La arquitectura rural de todas las épocas, y las viviendas tradicionales, que repiten tipos contrastados y perfectamente acoplados a determinados modos de vida, siguen este modo de creación arquitectónica dando origen a soluciones repetidas ante situaciones y problemas idénticos. Pero también la creación de prototipos industriales, la arquitectura prefabricada, es un claro ejemplo de este diseño icónico.

FIG. 63: Georg Muche; Richard Paulik: Prototipo de vivienda prefabricada de acero (Dessau, 1926-27).

3.- Cuando se toma un modelo pero se cambian algunas de sus características (el tamaño, los materiales, los usos, las condiciones de emplazamiento u orientación, etc.) estaríamos dentro del ***diseño analógico***. Este modo de diseñar implica la necesidad de reajustar las soluciones a las nuevas circunstancias y, por lo tanto, la solución ya no puede ser la copia idéntica del modelo sino otra que lo toma como referencia pero que, en realidad, es diferente. Es, quizás, el modo más generalizado de hacer arquitectura porque los arquitectos utilizamos las obras conocidas y que nos parecen adecuadas para realizar nuestras propias propuestas, incorporando sugerencias procedentes de otros ejemplos o modelos: elementos formales, soluciones constructivas, detalles técnicos, aspectos distributivos, imágenes... Es lo que hacían los arquitectos ingleses del siglo XVIII cuando utilizaban como modelo las villas del arquitecto italiano Palladio del siglo XVI adaptándolas a su país y a su modo de vida. Pero cuando hacemos un diseño analógico hay que ser muy prudentes, porque si los modelos se copian formalmente pero no se reajustan a las nuevas características (dimensiones, materiales, situación…), aparecen problemas que suelen desvirtuar e invalidar nuestra solución. Si, por ejemplo, utilizamos como modelo de referencia una cúpula, pero le damos una dimensión tres veces mayor, tendremos que adaptar los materiales y la estructura a su nuevo tamaño pues, de lo contrario, se arruinará.

FIG. 64: Aurora boreal.   FIGS. 65-66: Alvar Aalto: Pabellón Finlandés en la Feria de Nueva York (1939). *Croquis; foto.*

El arquitecto puede utilizar como estímulo analógico (como *modelo* o *imagen*) no sólo la arquitectura que conoce sino cualquier cosa. Este procedimiento es el que puede dar origen a las propuestas y resultados más sugerentes, de ahí que, a veces, los arquitectos buscan su inspiración en mundos formales alejados de la arquitectura. Por ejemplo, el arquitecto Utzon se inspiró en las velas de los barcos que surcaban la bahía de Sidney para inventar la forma de su Ópera, y el arquitecto Alvar Aalto consideró que la aurora boreal era un símbolo de su país y la utilizó para darle forma al Pabellón Finlandés en la Feria de Nueva York (1939). El principal problema que plantea esta manera de inventar la forma arquitectónica a partir de cualquier analogía formal, venga de donde venga, es encontrar las claves que convierten esas sugerencias en espacios habitables y volúmenes construibles, en definitiva, en arquitectura. Porque no podemos confundir la *imagen* de algo con su *forma*. Convertir esas imágenes que nos inspiran la invención en buenas obras de arquitectura es lo esencial. Unas velas o una aurora boreal no son arquitectura. La Ópera de Sidney y el Pabellón Finlandés sí. En este paso (en el *cómo* que transforma la sugerencia formal en arquitectura) está la dificultad y la clave del éxito, no en la *inspiración* más o menos singular o atractiva que desencadena la invención. Quiero recordar de nuevo lo que en un apartado anterior, al hablar de los videoclips, decía sobre la relación entre el *tema* y el valor de la obra de arte. Un *tema relevante* (el amor) puede convertirse en *obras maestras* (los Sonetos de Shakespeare) o en culebrones televisivos degradantes. Pues, también, en arquitectura, una sugerente analogía formal puede ser el origen de una obra maestra o de una obra sin ningún valor arquitectónico.

Es habitual que este paso de la sugerencia formal (procedente de cualquier ámbito), a la invención de la forma arquitectónica, el arquitecto lo canalice mediante esbozos, croquis, esquemas distributivos, imágenes volumétricas o espaciales, perspectivas a mano alzada, maquetas de trabajo… en definitiva, mediante los sistemas plásticos propios de la expresión arquitectónica, porque el uso de estos sistemas específicos facilita la transformación de formas e imágenes ajenas a esta disciplina en soluciones propias del universo de la arquitectura.

4.- Por último, el ***diseño canónico*** es el que utiliza lenguajes arquitectónicos codificados o sistemas de formas estructurados, como pautas de formalización que el arquitecto controla y asume porque los domina y los considera apropiados a sus objetivos. Los órdenes arquitectónicos, utilizados por todos los arquitectos clasicistas, son el ejemplo más evidente de este modo de formalización. El modulor, utilizado por Le Corbusier, como estructura proporcional adaptada a las dimensiones humanas, sería, también, un ejemplo moderno, donde los cánones sirven como falsilla que controla, facilita y orienta la invención. No es raro que el arquitecto incorpore cánones geométricos, retículas, estructuras formales, esquemas modulares, etc., que se *autoimpone* y sigue (igual que un jugador que asume y se ajusta a las reglas convencionales del juego), con el fin de controlar más fácilmente la forma inventada. Es lo que hacían arquitectos como Mies o Terragni cuando utilizaban papel milimetrado para dibujar sus croquis e ideas iniciales de un proyecto.

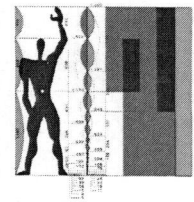 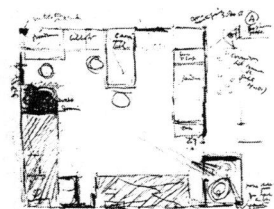 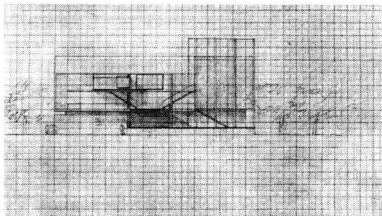

FIG. 67-68: Le Corbusier: El Modulor y croquis de la planta de su casita (*petit cabanon*) en Cap Martin (1950). *Proporcionada con el modulor.*

FIG. 69: Giuseppe Terragni: anteproyecto de la Casa del Fascio (Rione, 1940). *Dibujado sobre papel milimetrado.*

5.3.- La plasmación documental: el proyecto

Considerando *el proyecto* como el conjunto de documentos normalizados (gráficos y escritos) que definen la invención haciéndola viable, su redacción debe adaptarse, de la mejor manera posible, a los fines previstos. Y este criterio es válido, igualmente, tanto para las fases intermedias establecidas (anteproyecto, proyecto básico, proyecto ejecutivo…) como para los distintos aspectos que esa documentación debe definir (cálculos, proyectos de instalaciones, despieces, detalles constructivos…).

Los *fines* para los que se elaboran esos documentos proyectuales son, por lo tanto, lo que nos señala *qué* tipo de documento es el más conveniente (planos, memoria, pliegos…) así como *qué* lenguaje se debe utilizar para que responda de manera óptima a los fines para los que se elabora (sistemas gráficos convencionales, dibujos a mano alzada, renders, cálculos o algoritmos matemáticos, establecimiento de cláusulas, textos descriptivos, especificaciones técnicas…). Por ejemplo, no es lo mismo preparar una documentación para explicar un proyecto al promotor que para publicarlo en una revista o en un libro de arquitectura, o para captar la atención de un jurado en un concurso, o para darle las especificaciones concretas a un industrial que tiene que ejecutar una instalación. Si el fin de un anteproyecto es explicar la solución al promotor o usuario que, generalmente, no conocen ni están habituados a leer planos técnicos de arquitectura, habrá que presentarles la forma proyectada mediante imágenes en perspectiva, renders a color, fotomontajes, maquetas…, porque esos sistemas gráficos pueden ser más asequibles para ellos. Si, por el contrario, se le han de suministrar las condiciones específicas al albañil que tiene que hacerlo, los planos dibujados de acuerdo con las convenciones del sistema diédrico, detalladamente acotados, con las carátulas explicativas correspondientes, es el vehículo apropiado para este fin.

Los documentos proyectuales son siempre un *medio* y, en consecuencia, para establecer lo que deben contener y el lenguaje más pertinente que han de utilizar, el autor debe tener muy claro *el fin* para el que se redactan. Por lo tanto, el fin es el que marca el tipo de documento idóneo que realizar en cada caso, y su valor y calidad vendrá establecida por su adecuación para conseguir el propósito que tiene.

Con frecuencia el arquitecto confunde los valores plásticos de sus dibujos o planos con los valores de la obra arquitectónica que representan. Pero una cosa son los dibujos y otra la arquitectura. Una buena obra de arquitectura se puede dibujar bien o mal, y la mayor o menor calidad del dibujo no añade ni quita ningún valor arquitectónico a la obra representada. Si acaso, añade o quita claridad, y facilita o dificulta la comprensión. Los dibujos arquitectónicos deben aportar la información precisa y necesaria para los fines a los que se destinan. Este es el criterio de calidad de los documentos proyectuales. Los valores plásticos de los planos, o los valores literarios de las memorias, sólo son aceptables en la medida en que contribuyan a la mejor definición de la arquitectura que representan y a los fines específicos para los que se realizan esos documentos. De lo contrario, el plano o la memoria tendrán calidad considerándolos como dibujo o literatura, pero carecerán de utilidad como documento proyectual arquitectónico.

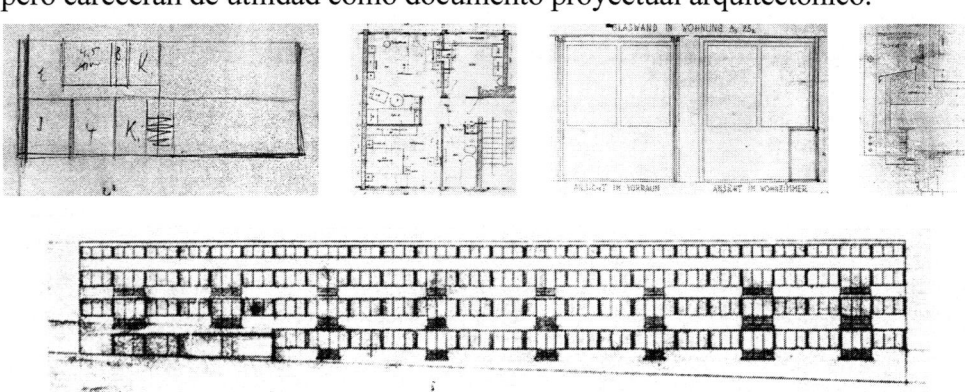

FIGS. 70-74: Ludwig Mies van der Rohe: Bloque de viviendas en la Weissenhofsiedlung (Stuttgart, 1927). *Croquis de distribución; plano de distribución; plano de carpintería; detalle constructivo de vierteaguas e imposta; plano de fachada (1.ª versión).*

5.4.- La ejecución de la obra

El gran arquitecto norteamericano Frank Lloyd Wright (1998) decía que *el proyecto* era la síntesis entre el programa funcional y la geometría que define la forma. Resolver el proyecto significaba, para él, ir acoplando las formas, de acuerdo con las leyes geométricas que canalizan sus transformaciones, a los requisitos funcionales, hasta conseguir casarlas de manera óptima. Eso era la *resolución del proyecto*. Pero, para que ese proyecto se convirtiera en arquitectura, debía producirse el encuentro entre el proyecto y la materia. *La naturaleza de los materiales es lo que transforma el proyecto en arquitectura*. Ejecutar la obra es, precisamente, materializar el proyecto. Por lo tanto, se puede interpretar como la culminación de todo el proceso de creación de la arquitectura. Por eso el arquitecto debe acumular conocimientos que le permitan comprender, antes de que se haya realizado, el material idóneo y el tratamiento y manipulación adecuados que debe recibir, para que la obra sea fiel reflejo de su idea. La misma realidad física de los materiales, de las texturas, de los elementos constructivos, de los espacios, de las dimensiones reales, de la luz y del color…, va introduciendo a lo largo de la construcción una serie de matices que completan y expanden la invención. La ejecución de la obra es una parte muy relevante del proceso creativo e inventivo, que puede reorientar y enriquecer las ideas previas sobre la solución arquitectónica prevista, o destruirlas. De aquí la necesidad de no cerrar drásticamente el proceso en las etapas intermedias que llevan desde la invención a la obra. Este es, quizás, el principal cometido del arquitecto durante la ejecución de la obra: convertir el proyecto en arquitectura expandiendo durante su materialización las potencialidades creativas de la invención.

Pero la obra no la ejecuta directamente el arquitecto con sus manos sino que es el resultado de la colaboración de un importante número de agentes. Por eso el arquitecto, además de completar el proceso creativo materializando la invención, tiene otros dos cometidos durante la ejecución de la obra: (1) coordinar e involucrar a todos los que intervienen a fin de que el resultado sea fiel a lo previsto; (2) controlar y verificar que los materiales, los procesos constructivos y el control de ejecución, todo ello, sigue un desarrollo coherente (un plan de obras) cumpliendo los plazos, sin interferencias o desajustes perjudiciales.

Conseguir que los documentos proyectuales se interpreten y se apliquen correctamente por todos y cada uno de los que participan en los distintos aspectos del proceso constructivo es una misión que, para poderla realizar de manera ordenada y segura, tiene que seguir unas pautas complejas bastante formalizadas y según unos plazos determinados. Existen plazos parciales que siguen la secuencia del desarrollo habitual de una obra, desde la cimentación, pasando por la estructura, la cubierta, los cerramientos, las instalaciones y las particiones, hasta terminar con los acabados. Y, en cada una de esas fases, el arquitecto debe vigilar desde los certificados de garantía de los materiales y equipos suministrados, a las certificaciones económicas de los trabajos ejecutados, incluyendo las pruebas de uso y comprobación de las unidades de obra realizadas, por citar sólo algunos de los cometidos que tiene.

Esta doble labor de coordinación y control para garantizar el buen resultado y evitar retrasos, errores y solapes entre distintos trabajos, el arquitecto la realiza ayudado por un equipo de técnicos centrados en diferentes cuestiones. Así, por ejemplo, el aparejador o arquitecto técnico es el que de un modo directo tiene que controlar la calidad de los materiales y unidades constructivas, el jefe de obra es el responsable de la coordinación de suministros así como la ordenación de los trabajos de los distintos equipos y especialistas; los ingenieros son, por su parte, los responsables de los aspectos específicos de su especialidad (instalaciones industriales, soluciones estructurales, etc.). No pretendo ahora exponer, ni siquiera someramente, la compleja organización de una obra, sino señalar que el arquitecto debe tener una gran capacidad de dirección de un amplio equipo de trabajo si quiere que el resultado sea el pretendido. Pero en todo esto, tal vez lo más importante es que debe conseguir que su idea, su proyecto, se haga realidad tal como él lo ha pensado. Y eso implica unas dotes de persuasión para que lo que es su invención se la apropien también todos aquellos que participan, aportando cada uno de ellos su propio esfuerzo para que el resultado final, suma de la colaboración de todos, sea el deseado.

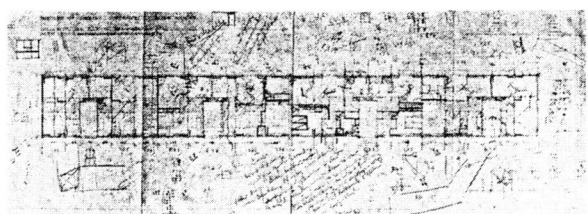

FIG. 75: Ludwig Mies van der Rohe: Bloque de viviendas en la Weissenhofsiedlung (Stuttgart, 1927). *Plano de obra con anotaciones.*

5.5.- La ocupación y el uso. El papel social de la arquitectura

Existe la creencia errónea, muy difundida, de que cuando la obra se ha terminado el trabajo del arquitecto ha concluido. A partir de ese momento, la obra pasa a ser ocupada por los usuarios y, con frecuencia, el arquitecto teme que serán incapaces de apreciar su trabajo y, con sus intervenciones, acabarán destruyendo y degradando la arquitectura que él ha inventado y construido. Sin embargo, la comprobación de que la obra se utiliza tal como el arquitecto la había pensado, es la confirmación de que su trabajo ha sido correcto. Por lo tanto, el uso que se haga de la obra debe ser algo esencial para su autor, y el aprendizaje que pueda extraer del modo en que los habitantes la interpretan, la ocupan, la usan y la disfrutan (o la padecen) debe servirle como fuente de enseñanza para mejorar su propio trabajo.

La suposición de los arquitectos de que los usuarios son ignorantes y desconocen las cualidades y valores de su arquitectura sólo sirve para profundizar una escisión entre su trabajo profesional y el medio social donde se enclava. La arquitectura es un arte social, el único arte verdaderamente social, decía el arquitecto holandés Berlage, y, en consecuencia, la aceptación y el disfrute de la obra de arquitectura por quienes la ocupan es la auténtica confirmación de su calidad.

FIGS. 76-77: Ludwig Mies van der Rohe: Bloque de viviendas en la Weissenhofsiedlung (Stuttgart, 1927). *Fotos de época: fachada e interior de un apartamento.*

Lamentablemente, este último paso no sólo no está reglado por ninguna normativa en el ejercicio profesional, tal como se realiza entre nosotros, sino que tampoco suele ser habitual entre los profesionales en ejercicio que, generalmente, lo omiten e ignoran. Pocos son los que analizan el modo en que sus propias obras son utilizadas, los que aprenden de los cambios que introducen los ocupantes, los que extraen las consecuencias pertinente de los problemas y gastos de mantenimiento que originan. Y, sin embargo, este conocimiento es el que realmente puede conducirle a mejorar cada vez más su profesionalidad y su trabajo.

Resumiendo

Aunque cada arquitecto realiza su práctica profesional de acuerdo con su propia idiosincrasia, el proceso que lleva de la invención de la arquitectura a su realización, sigue una secuencia en gran medida reglamentada y normalizada.

1.- El encargo es lo que desencadena todo este proceso y, a partir de él, el arquitecto debe transformar lo que son demandas del cliente en cuestiones propias de la disciplina arquitectónica, aplicando los conocimientos generales y las estrategias y métodos al caso específico con el que se enfrenta.

2.- El modo de transformar el encargo en problema arquitectónico para resolver es definiendo un programa de actividades y necesidades de todo tipo (incluidas las económicas, legales, normativas, etc.), y encontrando una forma capaz de satisfacer ese programa.

3.- El arquitecto puede canalizar la invención de la forma de muchas maneras, pero la clave es convertir en arquitectura las sugerencias formales, cualquiera que sea el punto de arranque o de inspiración formal que haya utilizado.

4.- La aproximación a la solución arquitectónica se va concretando en diferentes etapas (croquis, anteproyecto, proyecto básico...). Cada una de estas metas intermedias que conducen a la prefiguración de la arquitectura, se plasma en diferentes documentos (gráficos y escritos) que, en su conjunto, establecen todos los requisitos que tendrá la arquitectura construida (formales, técnicos, legales, económicos...). La finalidad de estos documentos es definir del modo más preciso posible la obra prevista y, desde esta perspectiva, su contenido y sus lenguajes específicos (sistemas de representación, etc.) deben ajustarse a ese fin. Son, por lo tanto, un *medio* o un instrumento al servicio de la arquitectura, y asignarles fines propios (valores plásticos o literarios, por ejemplo), puede ser negativo, en la medida que puede distorsionar su interpretación arquitectónica o constructiva.

5.- La dirección de obras, que culmina el proceso de invención de la arquitectura, supone no sólo interpretar correctamente y potenciar la idea plasmada en los documentos proyectuales, sino comprobar su viabilidad y su correcta ejecución. La dirección y coordinación del conjunto de personas que intervienen en la ejecución de una obra es uno de los principales cometidos que tiene el arquitecto en esta fase. Pero, además, debe ser capaz de que todos aquellos que participan en la realización de la arquitectura se sientan realmente como lo que son: coautores de la obra. Sólo así el edificio alcanza y expande las posibilidades latentes en el proyecto.

6.- Una vez la obra está terminada y en uso, el análisis de los resultados, la comprobación de si los ocupantes la usan y disfrutan realmente, es lo que le debe servir al autor para ir progresando y mejorando en su ejercicio profesional. El *hacer*, la obra hecha, se convierte así en el nuevo eslabón que perfecciona su *pensar* como punto de partida para el trabajo posterior.

FIG. 78: El arquitecto Alvaro Siza Vieira.

A. Aalto (1998-1976)

W. Gropius (1883-1969)

Le Corbusier (1887-1965)

A. Loos (1870-1933)

L. Mies van der Rohe (1886-1969)

F. Ll. Wright (1867-1959)

BIBLIOGRAFÍA ORIENTATIVA

El modo en que el alumno puede empezar a crearse una cultura arquitectónica que vaya formando la base donde asentar y consolidar su propio sistema de valoración y juicio como sustrato necesario para ejercer la actividad de arquitecto es leyendo y asimilando de manera crítica cualquier texto sobre la disciplina, hecho por los que se dedican a ella. En primer, lugar, por lo tanto, la principal fuente de conocimiento nos la pueden aportar *los propios escritos de los arquitectos* que nos han dejado obras maestras de referencia y han reflexionado sobre su trabajo. Especialmente aquellos que nos son más próximos porque sus obras siguen siendo hitos indiscutibles de nuestro bagaje arquitectónico.

Los textos de los llamados *maestros de la arquitectura moderna* son, pues, un buen punto de partida. Se trata de ir directamente a sus enseñanzas y escritos originales, sin conformarnos con las interpretaciones, comentarios, explicaciones o glosas que otros autores distintos (críticos, historiadores, biógrafos, articulistas…) hayan podido hacer de su pensamiento. La primera bibliografía recomendada la constituye, por lo tanto, los textos, entrevistas, artículos y libros de: Le Corbusier, Mies van der Rohe, Frank Lloyd Wright, Alvar Aalto, Walter Gropius, Louis Kahn, Adolf Loos… De todos ellos hay publicaciones fácilmente accesibles muchas de las cuales están, además, traducidas y editadas en castellano.

Algunos arquitectos actuales relevantes nos han dejado reflexiones y textos valiosos que pueden servir para conocer el panorama reciente del pensamiento arquitectónico, con sus derivas y planteamientos divergentes. Rem Koolhaas, Juhani Pallasmaa, Peter Zumthor, Renzo Piano, Edourdo Souto de Moura, Toyo Ito, Paulo Mendes da Rocha, Alvaro Siza Vieira, Alejandro de la Sota, Steven Holl, Juan Navarro Baldeweg, Aldo Rossi o Robert Venturi pueden ser ejemplos de un listado que no pretende ser ni completo ni mucho menos exhaustivo.

Con el fin de completar ese primer bloque de escritos que puede ayudar a iniciarse en el mundo de la arquitectura con una visión general, se adjunta un reducido listado de libros con intención de ser, sólo, una primera sugerencia capaz de desencadenar en los interesados su propia y personal búsqueda, de acuerdo con sus preferencias. Valga, pues, la relación adjunta, como simple propuesta y punto de arranque:

De Solà-Morales, Ignasi; Llorente, Marta; Montaner, Josep Maria; Ramon, Antoni; Oliveras, Jordi, 2000, *Introducción a la arquitectura. Conceptos fundamentales*, Edicions Universitat Politècnica de Catalunya, Barcelona.

Hereu, Pere; Montaner, Josep Maria; Oliveras, Jordi, 1994, *Textos de arquitectura de la modernidad*, Nerea, Madrid.

Marchán Fiz, Simón, 1974, *La arquitectura del siglo XX. Textos*, Alberto Corazòn, Madrid.

Petetta, Luciano, 1997, *Historia de la arquitectura. Antología crítica*, Celeste Ediciones, Madrid.

Sullivan, Louis H., 1959 [1918], *Charlas con un arquitecto (Kindergarten Chats y otros escritos)*, Infinito, Buenos Aires.

Marc Antoine Laugier: *Alegoría de la arquitectura* (1753).

BIBLIOGRAFÍA DE REFERENCIA

Los libros citados en el texto son:

Alberti, León Baptista, 1977 [1485], *Los diez libros de Architectura*, Albatros, València (facsímil de la edición de Francisco Loçano de 1582).

Broadbent, Geoffrey, 1976 [1974], *Diseño arquitectónico. Arquitectura y ciencias sociales*, Gustavo Gili, Barcelona (versión castellana, Justo G. Beramendi y Tomàs Llorens).

Gropius, Walter, 1962 [1955], *Alcances de la arquitectura integral*, Asociación de Estudiantes de Tecnología.

Le Corbusier, 2001 [1957], *Mensaje a los estudiantes de arquitectura*, Ediciones Infinito, Buenos Aires (versión castellana: Nina de Kalada).

Magnano Lampugnani, Vittorio, 1999, *Modernità e durata. Proposte per una teoria del progetto*, Skira, Milán.

Neumeyer, Fritz, 1995 [1986], *Mies van der Rohe. La palabra sin artificio. Reflexiones sobre arquitectura 1922-1968*, El Croquis, Madrid (traducción: Jordi Siguán).

Ponz, Antonio, 1972 [1789], *Viage de España. Tomo IV,* Ediciones Atlas, Madrid (facsímil).

Schopenhauer, Arthur, 2004 [1820], *Lecciones sobre metafísica de lo bello*, Universitat de València, València (traducción: Manuel Pérez Cornejo).

Vitruvio Polión, Marco Lucio, 1995 [s. I], *Los diez libros de arquitectura*, Alianza, Madrid (versión española: José Luis Oliver Domingo).

Wittgenstein, Ludwig, 2001 [1969], *Tractatus lógico-Philosophicus*, Alianza, Madrid (versión bilingüe alemán castellano. Jacobo Muñoz, Isidoro Reguera).

Wright, Frank Lloyd, 1998 [1994], *Autobiografía 1867- [1943]*, El Croquis, Madrid (traducción: José Avendaño).